KB075701

흉가는 어떻게 찾아서
방송하는 것인지
비밀을 알려주는 책

흉가는 어떻게 찾는것일까?

크리에이터 양산의영웅 지음

흉가는 어떻게 찾는 것일까?

발 행 | 2024년 02월 05일
저 자 | 양산의영웅
펴낸이 | 한건희
펴낸곳 | 주식회사 부크크
출판사등록 | 2014.07.15.(제2014-16호)
주 소 | 서울특별시 금천구 가산디지털1로 119 SK트윈타워 A동 305호
전 화 | 1670-8316
이메일 | info@bookk.co.kr

ISBN | 979-11-410-6995-7

www.bookk.co.kr
ⓒ 흉가는 어떻게 찾는 것일까? 2024
본 책은 저작자의 지적 재산으로서 무단 전재와 복제를 금합니다.

흉가는 어떻게 찾는 것일까?

양산의영웅 지음

작가 소개

2016년도부터 흉가와 폐가 체험이라는 콘텐츠를 진행하고 있는 인터넷방송 스트리머로 활동하고 있다.
8년 동안 여러 사연이 있는 흉가나 폐가를 약 2000여채 이상을 다니며 풍수적으로 흉가나 폐가 된 집을 분석하고 관찰해 왔으며 첫 종이책으로 '보이지 않는 에너지의 법칙'과 '그림에서 나오는 마법의 기적'이라는 풍수 인테리어 책을 출판하기도 하였으며 '당신의 꿈이 꿈해몽과 맞지 않는 이유' 라는 책을 출판하기도 하였다.

독특한 이력으로 STATV 숙희네 미장원, MBC 행복한 금요일, NBN 특종 세상 등 다수의 방송 출연 경력이 있다.

목차

작가의 말

흉가는 가도 안 되고 보아서도 안 되며 살아서는 더더욱 안 되는 곳이라는 생각을 가지고 살아가고 있다.
물론 맞는 말이지만 조금은 생각을 바꾸어 볼 필요가 있다.
우리가 건강해지기 위해서는 운동을 해야 하며 몸에 좋은 음식만 먹으면 무조건 좋은 거라 하지만 질병에 대한 상식이 있어야 그런 병에 걸리지 않게 대처할 수 있고 만약 질병에 걸린다면 어떻게 해야 빨리 회복할 수 있는지 아는 것이다.
질병으로 인해 아파본 사람이 그 병에 대해 더욱 잘 알게 되는 것이며 다시는 병에 걸리지 않도록 더욱 건강에 신경 쓰고 조심하지만 아파본 적이 없는 사람은 고통을 겪어 보지 않아서 자기 몸 관리를 안 하는 경우가 많다.
자기 몸은 자기가 안다. 라는 말이 있듯이 진정 아파본 사람이 의사들보다 더 잘 아는 것이다.

흉가에 관련된 이야기를 하는 듯하면서 왜 뜬금없이 질병의 이야기를 하는지 의아해 할 수 있지만 사람이라면 누구나 풍수적으로 좋은 집에 살고 싶고 길한 명당에 살고 싶어 한다.
하지만 명당을 알기 위해서는 흉당이 어떤 곳인지를 먼저 알아야 하며 풍수적으로 좋은 집을 보는 요령을 알려면 흉가가 어떤 집인지를 먼저 알아야 한다는 것이다.

풍수를 알면 흉가가 보이고

흉가가 보이면 명당도 보이며

명당과 흉당은 자연적인 법칙이 있다는 것을 알게 된다.

사람은 누구나 쾌적한 환경에서 편안하고 안정된 삶을 살고 싶어 하지만 그러한 요건 중에 터의 기운(氣)에서 지대한 영향을 받으며 그 영향으로 사람이 살고 있는 집이 '명당'이 될 수도 있고 '흉당'이 될 수도 있다.

하지만 사람은 누구나 '흉당'이 아닌 '명당'에 살고 싶어 하지만 우리가 아무리 풍수지리를 공부해도 명당을 찾기란 쉽지 않다.
하지만 흉가를 알면 어디가 명당인지 자연스럽게 알게 되는 것이며 어디에 가면 흉가가 있는지 알 수 있는 것이다.

프롤로그 - 책을 읽기 전에

왜 흉가를 찾고 싶어 하는가?

이 책을 읽는 여러분들은 왜 흉가를 찾고 싶어 하는지 그 이유부터 생각할 필요가 있다.
주로 흉가 체험 같은 공포나 심령이나 귀신에 관한 존재 의미와 단순한 체험의 흥미를 느끼기 위해 찾아다니며 또한 내가 어릴 때 살았을 법한 오래된 집을 보며 감수성을 느끼기 위한 이유도 있을 것이고 매우 저렴한 가격으로 부동산 매매를 위해 흉가 찾는 사람도 있을 것이다.
하지만 훗날 부동산 가치 상승의 기대감으로 흉가를 알아보는 것은 이 책을 읽을 이유는 없으며 이 책은 주 핵심의 이야기가 흉가가 되는 집은 풍수적인 요인과 주변 환경 지리적 특징 등 사람이 살지 못하는 집이나 매매가 잘 이루어지지 않는 집 그리고 풍수적으로 매우 나쁜 터의 내용을 복합적으로 설명이 있는 내용의 중심이다.

그런데 흉가는 어떻게 찾는 것인가?

물론 이 책의 제목에 맞게 쉬우면서도 무작위로 흉가나 폐가를 찾는 방법도 설명되어 있으며 효율적으로 흉가를 찾는 핵심적인 내용이 포함되어 있다.

프롤로그 - 책을 읽기 전에

사람이 살기 힘들고 풍수적으로 매우 좋지 않은 흉가를 찾을 것인가? 단순히 사람이 살지 않고 내부가 공포감이 있는 분위기가 을씨년스러운 느낌이 나는 폐가나 폐건물을 찾을 것인가? 물론 후자의 경우는 우리 주변에도 흔하게 찾을 수 있다.
대표적으로 재개발 지역이며 물론 안전상의 문제로 인해 사람이 함부로 들어오지 못하도록 철저히 관리되고 있는 곳도 많지만 사람이 거의 다니지 않는 우범 지역이라는 특성과 어떤 곳은 건조물 침입이라는 엄격한 법의 테두리가 있다.

흉가 체험할 때 일어날 수 있는 법의 논하고자 하는 것이 아니지만 흉가 체험은 사실 아주 떳떳하게 할 수 있는 것이 아니며 우리가 전자제품을 사용할 때 '주의 사항'은 참고로 읽어야 하듯이 흉가 체험도 잘못하다가 법적인 문제가 생길 수 있다는 것 정도는 알아야 한다는 점이다.

기본적으로 흉가를 찾는 방법은 인터넷으로 정보를 얻거나 흉가 동호회에서 정보를 얻는 방법도 있지만 이것은 어떻게 보면 누구나 다 쉽게 알 수 있는 장소를 얻는 것과 비슷하다.
과거에 누구나 흉가 위치를 알고 있었던 곤지암 정신병원이나 영덕 흉가를 같은 유명한 흉가를 뜻하는 점이다.

프롤로그 - 책을 읽기 전에

목적지 없이 무작정 돌아다니면서 찾는 방법도 있지만 이 방법은 옛날 방식이지 비효율적 적인 방식이라 요즘은 하지 않는다. 아무런 영양가 없는 시간만 낭비하는 방법이며 산길을 가다가 우연히 토끼를 잡았는데 다시 그 산길을 가서 토끼가 나타나기를 바라는 매우 비생산적인 방법이다.

흉가에 관한 정보가 없는 사람들의 경우는 가장 쉽게 찾을 수 있는 곳이 재개발 지역이며 노후화가 된 주택의 안정성 문제와 지리적으로 가치가 있다고 평가된 위치는 개발이 이루어진다.
특히 요즘은 더더욱 그렇지만 흉가 체험의 마니아들은 재개발 지역은 흉가가 없다? 법의 강제성으로 인해 어쩔 수 없이 집을 비어야 했던 그냥 폐가이다. 라고 말을 한다.

물론 재개발 지역에서 찐 흉가 찾는 게 어려운 것은 사실이다.
지리적인 특성과 주변의 상황을 보면 재개발 지역도 흉가가 있고 도심의 지역도 흉가가 있다.
교통이나 인프라가 갖추어진 곳은 땅값도 비싸고 집값이나 임대료도 높아도 풍수적으로 보았을 때 사람이 살기에 좋은 기가 흐르지 못하는 집도 있는 것이며 풍수적으로 좋지 못한 집은 사람 살아가는 生氣가 없다는 터의 위치라고 볼 수 있다.

프롤로그 - 책을 읽기 전에

교통이나 인프라가 갖추어진 도심 위치의 집도 생기(生氣)가 들어오지 않는 집이 있으며 일반적으로 도심에 위치한 곳은 흉가가 없다? 라는 생각을 하는 사람이 아주 많다. 하지만 그것은 잘못된 생각이며 보통 흉가라고 하면 산속에 있거나 민가가 거의 없는 시골 마을에만 있을 거라는 일반적인 생각이지만 그런 오지마을에 흉가 체험을 선호하는 이유는 직접 체험하는 사람이나 시각적으로 보는 사람이나 공포감이 상승하기 때문인 이유가 가장 크다.

이 책을 읽는 독자분들의 마음은 남들이 잘 모르는 흉가를 찾는 방법을 알고자 하는 목적에 이 책을 구매한 이유가 많을 것이다. 물론 이 책 본문의 핵심이 그것이며 남들이 잘 모르고 효율적으로 흉가를 찾는 방법은 풍수지리(風水地理)를 먼저 알아야 한다.

풍수지리(風水地理) 알면 흉가의 위치를 효율적으로 찾을 수 있다. 이 말은 무언가 두리뭉실 하듯 고개를 갸우뚱 할 수 있는 말이긴 하지만 풍수라는 말은 바람과 물을 의미하며 자연에서 나오는 바람과 물은 사람이 살아가는데 받아야 할 자연의 법칙 이자 자연에서 나오는 음과 양의 적절한 조화로 사람이 살아가는데 필요한 생기(生氣)의 기운을 받아야 살 수 있는데 풍수학에서 흔히 쓰는 용어로 양택(陽宅)의 풍수라고 한다.

프롤로그 - 책을 읽기 전에

풍수가 자연스럽지 못하면 그 집안은 운이 막혀 좋지 않은 일로 오래 살지 못하고 집주인이나 세입자가 자주 바뀌는 집 아니면 폐가로 오래 방치할 가능성이 높다.

누구에게는 풍수지리(風水地理)라는 말이 어렵게 들릴 수 있지만 아주 쉽게 예를 들면 공기가 좋은 집이 있고 공기가 나쁜 집이 있다고 가정하면 어떤 집에 건강하게 오래 살 가능성이 높을까? 물론 신체가 아주 건강한 사람은 공기 나쁜 집에 살아도 별 차이와 영향이 없을 수도 있지만 훗날 시간이 지나면 영향을 안 받을 수 있을까? 풍수도 마찬가지이다.

자연적인 요건과 지리적인 요건을 보아서 풍수적으로 좋지 않은 집은 흉가로 남아 있거나 매매가 되지 않아 폐가로 방치된 집이 되는 확률이 높다는 것이다.
많은 흉가 마니아 사이에서 알고 있는 흉가는 인터넷 검색만 잘 하면 찾을 수 있지만 남들이 모르는 찐 흉가는 이런 확률로 흉가를 찾는 것이다.

그렇다면 어려운 풍수리지(風水地理) 공부해야 하는가?

꼭 배울 마음이 없다면 풍수학 공부는 할 필요가 없다.

프롤로그 - 책을 읽기 전에

풍수는 꼭 공부해야 한다기보다는 참고로 알아두어야 하는 것을 알아두면 되는 것이지 어려운 풍수학 용어를 이해하고 어려운 한문까지 이해하면서 공부할 필요까지는 없는 것이다.
물론 절대적인 것이 아니지만 흉가가 되는 곳은 지리적인 특성과 풍수적인 특징이 있으며 지리적인 특징도 풍수적인 영향으로 좋지 않은 터가 대부분이며 주변에 뭐가 있으면 사람이 살기에는 적합하지 않은지 집 앞에 나갔을 때 길이 어떻게 되어 있으면 좋지 않은 것인지 알면 흉가를 찾는 것이 참고로 될 수 있을 것이며 지금 사람이 거주하고 있어도 나중에는 흉가로 남을 가능성이 높은 집을 점 지 할 수도 있다.

본문에서 구체적으로 언급을 하겠지만 풍수리지(風水地理) 에서 말하는 음택의 터가 있다.
음택의 터는 음식으로 비유하면 불량 식품만 먹는 것과 똑같은 것이며 사람에게 필요한 영양소가 들어간 음식을 먹어야 사람이 살 수 있듯이 풍수에서도 사람에게 꼭 필요한 양기의 기운을 받아야 사람이 살 수 있는 것인데 음택의 터는 사람에게 필요한 양기의 기운이 들어오지 않는 터를 말하는 것이며 그런 곳에서 사람은 당연히 오래 살지 못하고 만약 살고 있다고 해도 우환이 생겨서 집을 떠나거나 그 후에도 그 집은 정상적으로 매매가 이루어질 가능성은 매우 낮아진다.

프롤로그 - 책을 읽기 전에

흉가를 효율적으로 찾는 방법은 이렇듯 확률적으로 보아야 한다. 풍수학에서 음택의 기운이 들어오는 터는 지리적으로 파악해 인근의 가정집이나 모텔, 공장, 식당 등의 건물도 수년 동안 을씨년스럽게 방치된 건물을 찾을 확률이 높다.
물론 저자도 처음부터 이런 식으로 흉가를 찾은 것은 아니라 비효율적으로 흉가를 찾았지만. 그 후 풍수에 관한 서적이나 정보를 접하게 되고 풍수학자들이 말하는 음택의 터와 저자가 직접 찾아낸 흉가와 비슷한 경우가 많다는 것을 알고 기본적인 음택의 터를 연구해서 자연 과학적으로 흉가를 찾기 시작했다.

풍수(風水)는 바람과 물을 의미하며 음과 양의 기운의 조화를 잘 이루어진 터에 있는 집이 풍수적으로 좋은 집을 말한다.
그래서 풍수의 기본은 양택과 음택을 가장 먼저 이해하여야 하며 음택은 사람이 살지 못하는 음택의 기운이 강한 위치의 집이 흉가가 될 확률이 높다는 것은 풍수학에서도 증명된 사실이기 때문에 흉가를 찾는 방법도 이러한 확률을 보고 찾아야 한다는 점이다.

마지막으로

본 내용의 핵심은 고기를 잡는 방법을 알려주는 것이다.

프롤로그 - 책을 읽기 전에

이미 잡은 고기를 주는 게 아닌 방법을 알려주는 것인데 이 책에 대한민국 지역별로 흉가나 폐가 주소 목록이 있지 않을까 생각하신 독자분 들은 아쉬울 수 있지만 여러분들 본인 스스로 흉가 주소 목록을 만들 수 있게 해주는 내용이 본문의 핵심이다.

하지만 우리가 주식투자 책을 열심히 읽는다고 모두가 주식으로 돈을 벌 수 없듯이 이 책을 읽는다고 흉가를 잘 찾는다고 보장할 수 없지만 본문으로 들어가서 저자가 알고 있는 방법을 매우 다양하고 구체적으로 들어갈 것이며 독자분들의 이해도를 높이기 위해 세심하게 설명이 들어갈 것이다.

제1장 흉가의 뜻은 무엇일까?

과거에는 흉가라고 하면 그 집안에 흉흉한 사건이 있었거나 흉흉한 소문이 돌아서 아무도 살려고 하지 않는 집을 흉가라고 하지만 현대 시대에는 흉가의 의미가 매우 다양하게 해석되고 있으며 흉가를 한자로 풀이 하자면 흉(凶)할 흉에 집 가(家)의 의미로 흉흉한 소문이 돌거나 흉흉한 사건이 일어난 집이 정확한 의미가 맞다.

하지만 일부에서는 유령이 나오는 집은 그냥 ’흉가‘라고 알고 있는 경우는 의미가 다른 것이다.

유령이나 심령의 현상 등은 꼭 그냥 빈집의 폐가이거나 사람이 살고 있는 집에도 나올 수 있는 현상이며 유령이 나와야 ’흉가‘라고 정의하기는 어렵다는 뜻이다.

아무 사연이 없고 매매가 되지 않거나 경매로 내놓은 집이 입찰이 되지 않는다든지 다른 사연이 있어서 오랫동안 관리 되지 않는 빈집도 집이 관리되지 않아 흉하게 보이면 흉가라고 정의하기도 하고 풍수학으로 사람이 살 수 없는 좋지 못한 기운이 들어오는 집을 흉가라고 말하기도 한다.

하지만 풍수학에서 말하는 흉가는 조금 더 구체적으로 말하고자 한다면 풍수는 사람에게 좋은 기가 들어오지 않는 사람 살기에 좋지 못한 터에 집을 짓고 살면 생기가 들어오지 않고 흉한 기운이 들어와 흉흉한 일이 발생할 가능성이 높은 집을 이야기 하지 풍수학에서 터가 좋지 못한 위치에 집이 있다고 무조건 흉가라고 말하지 않는다.

쉽게 말해 이런 위치나 지형의 집은 풍수적으로 흉한 기운이 들어와 흉흉한 일이 발생할 가능성이 높은 학문적인 연구와 자연적인 과학으로 인한 통계적으로 만들어진 것이며 풍수적으로 풀이할 때는 흉가가 될 가능성이 높은 확률을 이야기하는 것이 정확한 의미라고 할 수 있다.

제1장 흉가의 뜻은 무엇일까?

일반적으로 가장 궁금해하는 것은 흉가와 폐가와 무엇이 다르며 어떤 차이가 있는지 궁금해한다.

흉가와 폐가와의 차이는 무엇인가?

흉가는 흉흉한 일이 일어난 적이 있는 집과 폐가는 말 그대로 관리 되지 않는 빈집이라고 정의할 수 있다.
좋지 못한 일이 있었던 집과 기타 사연으로 방치된 집. 간단하게 해석할 수 있지만 폐가라고 할지라도 오랫동안 관리하지 않으면 집 모습이 흉해 보이기에 그냥 흉가라고 불리기도 하지만 학문적으로 논하자면 사실과 다르다.

흉가는 왜 사실적인 근거가 없는 소문이 잘 퍼지는가?

어떤 지역. 어떤 마을에 흉가 같은 집이 있는데 무슨 무슨 일이 일어났다고 하더라는 소문은 마치 빛의 속도로 퍼져 버린다.
심리적으로 보았을 때 근거가 없는 사실도 사람과 사람들 사이의 풍문처럼 번지는 말은 사람들의 뇌 속에 소문이 마치 검증된 사실로 인지해 버리는 심리가 있는데 이유는 무엇일까? 시간이 지나도 흉가라고 소문난 집을 매매하지 않고 세입자도 들어오지 않아 더더욱 흉물스럽게 변하면 소문이 사실로 변화하게 된다.

출처 :구글 로드맵

이 사진을 보면 여기가 어떤 흉가인지 알고 있는 독자분도 많이 계시겠지만 여기는 우리나라에 유명했던 흉가로 출처가 불분명한 흉흉한 소문이 퍼지고 퍼져서 마치 사실로 전파된 사연의 흉가이며 어떻게 보면 단순한 폐가로 볼 수 있는 집인데 흉가로 전락하는 경우의 대표적인 우리나라 3대 흉가 중 하나다.

앞 페이지에 설명한 부분과 조금 다른 느낌도 있지만 흉흉한 일이 있었다고 소문난 집을 흉가라고 불리는 것은 잘못된 것이 아니며 그게 문제가 되는 것이 아니지만 만약 있지도 않는 사연을 만들어서 일부러 유포하고 고의로 소문을 낸다면 법적인 문제가 생길 수가 있다.

제2장 흉가는 어떻게 찾는 것일까?

먼저 이 책을 읽고 있는 독자들이 가장 궁금해하는 내용이라 예상 들며 본론으로 들어가기 전에 흉가를 찾는 방법은 매우 다양하게 있으며 방법의 종류별로 나열하고자 한다.
본 내용에 앞서 흉가를 찾는 다양한 방법 중 이러이러한 방법이 있다는 정도로 먼저 정리한 것이다.

제2장 흉가는 어떻게 찾는 것일까?

가장 기본적으로 흉가를 찾는 방법 중 가장 편한 방법은 첫 번째. 인터넷 검색으로 찾는 방법이며 이 부분은 독자들이 짐작하고 있었을 것이다.
인터넷 초창기에 많이 사용한 단어이지만 인터넷이란 바다는 끝이 안 보일 정도로 정보가 무궁무진하며 간단하게 검색해서 찾는 방법도 있지만 인터넷에 나온 흉가 정보는 100% 정확한 정보가 아니며 정확한 흉가 정보인지 추정하는 방법과 요령을 알려주는 것이 주 핵심이다.
두 번째는 경매 사이트나 경매 정보를 제공하는 방법을 통해 찾는 것이며 장기간 입찰을 하지 않고 관리 되지 않는 듯한 건물을 찾을 수 있지만 정보를 꾸준히 확인해야 한다는 단점이 있다.
그런 곳은 흉흉한 사건이나 사연이 있을 가능성이 높고 풍수적으로 매우 좋지 않은 지리에 있는 건물이 있다.
아무도 경매에 입찰하지 않는 것은 분명 이유가 있고 사연이 있으며 하지만 이것 역시 오랫동안 관찰하듯이 자주 확인해 봐야 한다는 수고스러움도 있지만 특히 관리하는 건물도 많기에 직접 찾아가서 탐험하거나 체험하는 것은 조심스럽게 해야 하며 경매를 통해 부동산을 투자하거나 여기저기 발로 뛰며 경매에 올려진 폐건물을 확인하러 다녀 본 경험이 있다면 매우 쉬운 방법일 수 있지만 만약 경험이 없다면 저자의 입장에서는 그리 추천하지 않는 방법이다.

제2장 흉가는 어떻게 찾는 것일까?

세 번째는 재개발 지역을 찾는 방법이다.
재개발 지역은 흉가 체험보다는 그냥 빈 건물 들어가서 공포체험 한다는 느낌이 더 강하며 사실 그보다는 재개발 지역에 무슨 흉가가 있냐고 반문하는 사람이 많다.
법의 강제성으로 어쩔 수 없이 되어버린 폐건물이나 폐가가 대부분이지만 큰 건물이 많은 도심의 지역에도 흉가가 숨어 있듯이 건물의 노후화와 입지 요건이 좋아 개발하는 지역에 모든 집이 당연히 흉가는 아니지만 그중에 숨어 있는 소위 말하는 찐 흉가가 있다는 점이며 그중에 흉가를 찾는 것이 영 능력자나 무속인만 찾을거라 생각되지만 일반인도 찾는 방법은 있다.

네 번째는 언론의 기사를 꼼꼼하게 보는 것이다.
특히 모든 국민이 많이 구독하고 즐겨 보는 메이저급 신문이나 공중파의 언론보다 일부 극소수의 지역 주민만 볼만한 지역신문을 보는 것을 추천한다.
이 흉흉한 건물을 빨리 철거하지 않고 방치되어 인근 주민에게 불편함을 주고 공포감을 준다는 즉 좋은 의미로 보도하는 것은 아니지만 흉가를 찾는 요령을 알고자 하는 우리는 보도 내용이 중요한 것도 아니고 중요한 건 위치를 알아내는 것인데 상세한 주소를 공개하는 것은 아니지만 기자가 말하는 내용만으로 스마트폰의 지도 앱을 잘 활용하면 충분히 위치를 추정할 수 있다.

다섯 번째는 앞에 네 번째에서 언론 기사를 꼼꼼하게 보는 것과 비슷하지만 사건 사고 관련 뉴스나 기사를 보는 것이다.
언론에 보도된 사건 사고가 났던 장소는 탐험이나 체험할 때 특별히 조심해야 할 곳이며 특히 여러 명을 체험팀으로 만들어서 관광지에 놀러 가듯 우르르 몰려가는 것은 추천하지 않고 그렇다고 흉가 체험을 많이 해보지 않은 초보자도 추천하지 않는다.
폴리스라인이 있는 출입 금지 테이프만 봐도 느낌이 세하고 기분 나쁜 느낌이 들며 기분적으로 들어가고 싶지 않다는 생각부터 들지만 꼭! 가보고 싶다면 어느 정도 시간이 지난 뒤 찾아가 보는 것을 추천한다.

여섯 번째는 인맥을 통해서 찾는 방법이다.
흉가를 찾는데 인맥이 필요하다고? 어떻게 보면 이해 안 될 수 있는 말이지만 저자가 말하는 인맥은 여러 유형이 있다.
가장 쉬운 접근은 흉가 동호회에 가입해서 활동하는 것이며 이 역시 중요한 것이 있는데 처음 신입 회원으로 들어가서 나 어디에 사는데 이왕이면 우리 집이랑 가까운 위치에 있는 흉가 소개해 주세요. 라고 질문한다면 당연히 좋아할 일이 없고 동호회 방장이 동호회 운영에 원칙주의자면 바로 강제 탈퇴 될 수 있다.
일단 모임 공지가 뜨면 무조건 나가야 한다.
모임도 이왕이면 사람이 많이 모이기 쉬운 주말에 할 것이다.

제2장 흉가는 어떻게 찾는 것일까?

흉가 체험을 하자고 한다면 특별한 경우를 제외하고는 주말이나 휴일은 시간이 있을 것이며 흉가 체험 모임에 적극적으로 나가고 오래 활동한 사람과 어울리다 보면 자연스럽게 흉가 정보를 알게 된다.

흉가 동호회에서 흉가 주소를 막 공유하는 곳은 그리 많지는 않을 것이며 만약 주소를 막 퍼주는 식으로 공유한다고 하면 나중에라도 문제가 발생할 수 있기에 조심할 필요가 있다.

흉가 주소만 원하는 사람에게는 좋을 수 있지만 흉가 체험은 음지에서 활동해야 하는 취미이자 법적으로 문제가 생길 수 있는 위험한 취미이기에 예상치 못한 문제가 발생할 수 있다.

또 다른 방법은 부동산 업자를 통해 정보를 얻는 방법이다.

만약 본인의 주변에 부동산 업자가 없다면 해당 사항이 없는 것이 사실이지만 부동산 정보를 공유하는 커뮤니케이션 공간에 부동산 업자들이 대부분 활동하고 있기에 누가 봐도 흉가 같은 집. 매매가 이루어질 가능성이 희박할 거 같은 집을 공유하고 있으니 실제로 사건이나 흉흉한 일이 일어 난 집도 많이 있다.

당연히 매매 목적으로 내놓은 집을 좋지 않은 사건이나 소문이 있다는 말은 당연히 하지 않을 것이며 물어봐도 대답도 잘 안 할 것이기에 친해지지 않으면 사연을 알기는 어렵지만 사람을 많이 접촉해 본 경험이 있다면 눈치로 읽어야 하며 매매 해야 하는 업자들이기 때문에 약점을 감추는 건 어쩔 수 없을 것이다.

하지만 인근 부동산에서 관리되고 있는 집이 많기에 체험한다면 일부러 더럽히거나 낙서, 진입한 흔적을 남기면 그 후에 문제가 될 수 있으니 주의해야 한다.

인맥이라고 하면 시골에 사는 삼촌이나 시골에 귀농한 동창 친구를 통해 그 동네에는 좋지 않은 사연이 있는 흉가를 소개받는 것은 흉가를 계속 찾고자 한다면 생산성이 없는 것이며 비유가 우습지만 호랑이를 잡으려면 호랑이 굴에 들어가야 하듯이 흉가 정보를 알려면 흉가 주소를 많이 알만한 사람들이 모인 곳에 찾아 들어가야 한다.

일곱 번째는 지도 앱을 통해서 찾는 방법이다.

우리나라가 IT 시대로 발전하기 전 동네 서점이나 고속도로 휴게소에 가면 흔하게 보이는 전국 지도 책자로 흉가를 찾는 것은 불가능했지만 스마트폰에 누구나 있을 만한 지도 앱은 거리뷰나 로드뷰로 볼 수 있고 항공뷰로 볼 수 있기에 핸드폰만 보고 있어도 흉가로 보이는 장소를 추정할 수 있다.

지도 앱으로 흉가를 찾는다는 것은 흉가 동호회의 체험단과 흉가 방송인들도 거의 다녀가지 않은 소위 남들이 모르는 찐 흉가를 찾은 유일한 방법 중에 일부분이며 이 방법이 가장 큰 장점이 될 수 있지만 문제는 아무나 쉽게 찾을 수 없는 게 단점이고 처음에는 영양가 없는 시간 소비가 많으며 쉽다면 쉽지만 어렵다면 어려운 것이 지도 앱의 활용이다.

제2장 흉가는 어떻게 찾는 것일까?

앞에서도 언급했지만. 이 책의 내용은 고기를 잡아주는 것이 아니라 고기를 잡는 방법을 알려주는 책이다.
위의 내용은 가장 현실성이 있는 방법을 내용으로 적은 내용이지만 초보자가 찾기 적합한 방법도 있고 매우 어려운 방법도 있으며 어려운 것. 만큼 남들이 모르는 찐 흉가를 찾는 방법이다.
여기서 초보자가 찾는 방법과 소위 남들이 모르는 찐 흉가를 탐험하는 방법도 있지만 특히 마지막으로 소개된 지도 앱을 활용해 흉가를 찾는 방법은 두리뭉실한 내용이 아닌 이후 페이지에 세심한 내용을 알려주고자 한다.
앞 페이지에 언급한 일곱까지의 모든 걸 세심하게 내용을 적지는 못하며 독자분들이 스스로 할 수 있는 것은 그냥 넘어가지만 참고 사항으로 꼭 알아야 하는 것은 세심하게 알려주고자 한다.

중요

이 책은 독자들의 반응이 좋을 경우. 흉가를 찾는 방법이 기발하고 더 다양한 '흉가는 어떻게 찾는 것일까?'의 개정판을 출시할 예정이다.

제2장 흉가는 어떻게 찾는 것일까?

1. 인터넷 검색으로 흉가를 찾는 방법 (초보자용)

분류: 폐건물 | 경기도의 건축물

상위 문서: 폐건물/목록

대한민국 국내 폐건물의 위치 정보

서울특별시	부산광역시	대구광역시	인천광역시
광주광역시	대전광역시	울산광역시	세종특별자치시
경기도	강원특별자치도	충청북도	충청남도
전북특별자치도	전라남도	경상북도	경상남도
제주특별자치도			

TIP : 가장 많이 알려진 방법은 나무위키를 통해 찾는 방법이며 구글이나 네이버에 지역을 적고 폐건물이라고 검색하면 된다.

제2장 흉가는 어떻게 찾는 것일까?

예를 들어서 내가 경기도에 있는 흉가나 폐가를 찾고 싶다고 가정하면 ‘경기도 폐건물’이라고 검색하면 경기도에 있는 지역별로 흉가나 폐가의 주소가 나온다.
나무위키를 보면 지금도 의문인 것이 저 흉가 주소는 누가 작성을 할까? 이 책을 쓰는 저자도 궁금한 부분이다.
각설하고 나무위키로 정보를 얻어 흉가를 체험하는 것은 초보자에게 가장 유용하고 가장 쉬운 방법이지만. 잘못된 정보도 있다는 것이다.
예를 들어 폐식당이라고 되어 있는데 막상 가보면 영업하고 있는 식당이라든지 가정집 같은 흉가인데 막상 가보면 사람이 살고 있을 수 있고 건물이 철거되어 없어진 경우가 있다.
폐건물 내부에 보안 시설이 있어 가능하면 방문하지 않는 것이 좋다. 라는 내용이 친절하게 적힌 곳도 있다.
하지만 문제는 모두 다 정확한 정보가 나와 있지 않다는 점이다.
흉가 체험은 건물의 겉모습만 모는 것만으로 만족할 수 있지만 내부 체험을 목적으로 하는 사람이 더 많다.
그렇기에 내부 진입이 가능한 흉가를 높은 확률로 추정하려면 주소를 확인해 로드뷰나 거리뷰로 확인해야 한다.
로드뷰나 거리뷰도 촬영한 년 도와 월을 확인도 중요하고 예를 들면 정확한 날짜가 나오는 것은 아니지만 과거와 가장 최근의 년도와 월을 확인할 수 있다.

제2장 흉가는 어떻게 찾는 것일까?

흉가 체험을 목적으로 나의 소중한 시간과 경비를 투자해 나무위치에 나온 흉가 주소를 보고 찾아갔는데 그 흉가가 진입이 불가하거나 이미 없어진 건물이라면 얼마나 황당하고 투자한 시간과 돈이 아깝겠는가? 저자도 나무위키의 주소를 보고 수도 없이 찾아가서 답사를 해보았으며 투자한 시간과 이동 경비를 그냥 날려버린 경우가 허다했다.

시간과 돈을 투자한 만큼 노하우와 요령이 생겨서 이 글도 집필할 수 있는 것이며 물론 저자가 알려주는 정보를 참고해서 찾아가는 것이 100% 확실하다고는 할 수 없지만 독자들에게 이 책을 투자해서 읽는 것만큼 확률적으로 체험할 가능성이 높은 장소를 고르는 노하우를 알려주는 목적이 있다.

2022.09

TIP : 위 사진의 상단에 2022년 9월에 촬영된 것임을 확인 할 수 있으며 년 도가 1~3년 정도의 이내라면 아직도 그대로 있을 확률이 높다.

탐험이 가능한 흉가는 어떻게 추정하는 것인가?

흉가 체험의 가장 중요한 것은 일단 진입이 가능해야 탐험도 가능하고 체험도 가능한 것인데 단도직입적으로 말을 하자면 직접 가봐야 100% 아는 것이다.
하지만 확률적으로 보았을 때 진입 가능성이 높은 곳을 미리 추정하는 방법은 로드뷰로 확인하는 방법이 좋다.
로드뷰로 확인해서 건물이 있다고 하더라도 입구에 진입 가능한지 잘 보이지 않기 때문에 건물 입구 부근에 관리하는 건물인지 관리를 전혀 안 하고 방치하는 건물인지 추정해야 한다.

관리를 하지 않는 건물을 어떻게 추정하는가?

- 입구에 풀이 많이 쌓여 있는지 확인한다.
- 건물 외관이 나무나 풀로 가려졌는지 확인한다.
- 대문이 열려 있는지 확인한다. (가정집의 경우)
- 창문이 깨져 있는지 확인한다.
- 근처에 쓰레기가 쌓여 있는지 확인한다.

2개 이상 해당 시 관리가 안 되는 건물일 가능성이 높다.

제2장 흉가는 어떻게 찾는 것일까?

TIP : 나무에 가려져 잘 보이지 않는 집이다. 이런 곳은 관리가 되지 않고 진입이 가능할 확률이 높으며 작은 집도 개인의 재산인데 관리가 안 되는 것은 과거 흉흉하거나 좋지 않은 사연이 있는 흉가일 수도 있다.

탐험하기 힘든 나무위키의 폐건물

TIP : 나무위키에 나온 어느 폐건물의 로드뷰 사진이며 이 사진 한 장만으로도 도심의 위치에 있고 폐건물이 맞는지 의심될 정도로 깔끔한 편이다. 이런 건물은 관리가 되고 있으면 출입 불가능한 곳이 대부분이니 방문하지 않는 것이 좋다.

제2장 흉가는 어떻게 찾는 것일까?

2. 재개발 지역의 탐험 (초보자용)

재개발 지역을 탐험하는 것은 초보자에게는 쉬운 방법이고 위치를 찾기 어렵지 않으며 언론의 기사와 인터넷 검색으로 잘 활용하면 위치를 쉽게 찾을 수 있다.
만약 서울에 재개발 지역을 찾고 싶다면 '서울시 재개발'이라고 검색해서 언론 기사를 찾아보면 개발을 진행 단계거나 예정인 동네를 확인 할 수 있다.
그 전에 미리 알아둘 것은 탐험이 가능한 재개발 지역도 있고 탐험 불가능한 재개발 지역도 있다.
2000년 초반에는 재개발 지역의 탐험은 개방적이면서도 자유로운 편이었지만 물론 기본적으로 우범지역이라는 특성상 범죄에 대한 우려로 '출입 금지' 경고 문구 정도는 있었다.
2008년도에 살인자 김길태 사건으로 인해 재개발 지역은 자유롭게 출입하지 못하게 관리되고 있는 곳이 늘어났다.

*** 재개발 지역 탐험의 장점**

1. 찾기가 쉽고 조심만 하면 안전하게 가능하다.
2. 본인 집이랑 가까운 거리에도 찾을 수 있다.
3. 도심의 위치가 많아 혼자 가도 무섭지 않다?

* 재개발 지역 탐험의 단점

1. 초보자는 사연 있는 흉가를 찾기가 어렵다.
2. 건물 내 물건이 별로 없어 체험의 재미가 없다.
3. 간혹 방범 요원의 순찰로 인해 퇴각할 수 있다.

재개발 지역의 탐험은 타이밍이 매우 중요하다.

앞에서 언급했다시피 탐험이 가능한 재개발 지역도 있고 불가능한 지역도 있다.
재개발 장소에 따라 다른 것이 아니고 탐험이나 체험도 타이밍에 맞게 가는 것이 중요한데 다음은 탐험이 가능한 경우와 불가능한 경우이다.

1. 집주인과 보상 문제를 해결하는 단계 (탐험 가능)
2. 철거를 서서히 진행하는 단계 (탐험 가능)
3. 전부다 폐건물인 상태로 철거를 앞두는 상황 (탐험 불가능)

1번이나 2번처럼 탐험이 가능한 경우를 확인하려면 직접 현장에 가서 확인해야 한다는 단점이 있다.

사람들의 진입을 막기 위해 위 사진처럼 막아놓은 상태면 세입자들이 이미 다 떠난 상황으로 철거를 준비하는 단계이며 안정상의 문제로 진입이 힘들다. 만약 저 가림막을 일부분 통행하게 되어 있다면 철거 시작 단계로 진입은 가능하다.

철거를 서서히 진행하는 단계에 들어가면 앞 페이지의 사진처럼 가림막을 완전히 막아 놓지는 않는다.
저자는 철거 관련 업체에서 일해본 경험이 없어 잘은 모르겠지만 건물 철거하는 것도 건물을 짓는 거처럼 절대 간단한 작업은 아닐 것이며 많은 건물을 한꺼번에 철거하여 모든 작업을 빨리 끝내는 것은 현실적으로 어려울 것이다.
위험하고 큰 작업이기에 하나씩 느리게 작업을 하는데 그 타이밍에 맞추어서 방문을 해보는 것이 매우 중요하다.
그래서 철거 진행하는 상황에는 출입이 가능할 것이며 물론 오전이나 오후 시간보다 저녁이나 새벽 시간에 방문하는 것이 좋다.

제2장 흉가는 어떻게 찾는 것일까?

앞에 내용에는 인터넷 검색으로 찾는 방법과 재개발 지역 찾는 방법 두 가지를 예로 설명했다.
어디까지나 이 방법은 초보자 용으로 가장 쉽게 찾는 방법이며 이미 알고 있는 사람이 많아 특별한 것을 기대했지만 무언가 시시하다는 느낌도 받을 수 있다.
이제부터 나오는 내용은 초보자들보다는 집터를 잘 보는 전문가나 소위 찐 흉가를 잘 찾는 고수들이 쓰는 방법이며 흉가 찾는데 초보자 전문가 따진다는 것이 우습긴 하지만 내가 만약 남들이 모르는 찐 흉가를 찾고 싶다면 이 방법을 써야 하고 요즘 상황에서는 이런 방법보다 더 좋은 방법은 없다는 점이다.
제4장 풍수지리를 알아야 흉가가 보인다.에서 조금 더 구체적으로 설명이 들어갈 것이지만 흉가를 찾는 방법 중 지도 앱(지도 어플)을 활용해서 찾는 방법이다.
요즘에는 흉가 체험을 취미로 하는 사람도 나무위키 따위는 시시해서 보지도 않고 지도 앱으로 흉가를 찾아내서 남들이 방문하지 않았다는 짜릿한 공포체험을 즐기는 사람들이 늘어나고 있다.

3. 지도 앱을 활용한다.

지도 앱이라고 하면 카카오 지도 앱이나 네이버 지도 앱이다.

제2장 흉가는 어떻게 찾는 것일까?

지도 앱이라고 하면 구글 지도 앱이 일반적으로 떠오른다.
스마트폰이 처음 나온 이후 주소를 검색해 촬영된 주소의 건물을 핸드폰으로 미리 확인 할 수 있고 주변에는 어떤 것이 있는지 미리 확인 할 수 있는 지금 시대에는 없어서는 안 되는 어플이다.
구글 지도 앱은 최초로 만들어진 것이며 전 세계의 국가를 다 확인이 가능하기에 앱 하면 구글링(구글 지도 앱)을 생각한다.
대표적으로 알려진 지도 앱은 구글 앱이랑 네이버 지도 앱과 카카오 지도 앱이 있으며 그 외에서도 찾아보면 많은 지도 어플이 있을 것이지만 그중에서 흉가를 찾는데 가장 적합한 지도 어플은 따로 있다.
물론 적합하다는 의미는 저자가 직접 활용해서 찾아본 경험으로 가장 적합하다는 것이지 당연히 정답은 아니며 활용을 안 해 봤던 지도 어플도 많기에 개인마다 느낀 차이가 있어 흉가 찾기가 가장 적합한 어플은 개인마다 다 다를 수 있다는 점을 참고로 생각해야 한다.

어떤 지도 앱이 흉가 찾기가 좋을까?

먼저 구글에서 만든 지도 앱은 흉가 찾기가 적합하지 않다.

제2장 흉가는 어떻게 찾는 것일까?

내가 만약 해외 흉가를 직접 찾고 싶다면 구글 지도를 사용해야겠지만 우리나라에 있는 흉가를 찾는 것은 적합하지 않다.
앱을 쓰는 방식이 우리나라 사람들 정서에 맞지 않다는 점이다.
내가 만약 해외여행을 여행사로 통하지 않고 개인 자유여행으로 간다고 가정했을 때 아고다 앱으로 숙박을 미리 잡고 그 인근의 관광지를 알아보고 백화점이나 쇼핑몰 등 여행 코스를 스스로 계획 할 것이다.
내가 갈 예정의 숙박시설이나 관광지의 모습이 미리 확인하기 위해서는 구글 지도가 적합할 수 있지만 전 세계인들이 쓰는 앱이라 우리나라 사람들의 스타일과 정서에 맞추어 만들 수 없다는 점이 당연하다는 것이다.

우리나라의 흉가 찾기가 적합한 것은 어떤 앱인가?

IT 기업에서 만든 카카오 지도 앱이나 네이버 지도 앱이 흉가 찾기가 가장 적합한 앱이며 우리나라 대표하는 IT 기업이라 타 업체의 지도 어플과 비교해서 사용해 보면 상당히 잘 만들었다고 느껴질 것이고 꼭 흉가나 폐건물이 아니라 관광지나 숙박, 식당 등 무언가를 찾으려 할 때도 상당히 유용하게 만들었다.
물론 처음부터 카카오나 네이버 앱을 사용해서 익숙한 상태이기에 적합하다고 할 수도 있다.

제2장 흉가는 어떻게 찾는 것일까?

만약 우리나라에 유명한 관광지에 놀러 간다고 가정하면 그 지역에서 숙박시설도 찾아보아야 하고 이왕이면 맛집이나 분위기 좋은 카페도 찾아볼 것이다.

예전에는 집에 있는 컴퓨터를 켜서 인터넷을 접속해 찾았다면 요즘에는 스마트폰 지도 어플로 활용할 것이다.

예를 들어 우리나라 대표적인 관광지인 경주에 놀러 간다고 하면 '경주 맛집'이라고 검색해 많은 식당의 정보와 주소가 나와 있으며 외부와 내부 사진과 방문자의 리뷰 글을 보고 마음에 드는 식당을 선택하면 바로 네비게이션으로 찍을 수 있다.

누구나 다 알만한 것을 왜 불필요하게 글로 설명하냐고 할 수 있지만 흉가를 찾는 것을 맛집 찾는 것처럼 검색한다고 해서 친절하게 나와 있는 것은 아니다.

일반적인 영업장을 찾는 것과 흉가를 찾는 것은 기본적인 차이를 먼저 알아야 하며 그 기본적인 차이는 정보가 등록된 장소를 찾는 것과 정보가 등록되지 않는 것을 찾아내는 차이다.

짜장면이 먹고 싶어 집 가까운 중국집을 찾는 것은 有에서 有를 찾는 것이지만 흉가를 찾는 것은 無에서 有를 찾는 것이다.

이렇게 예로 간단히 설명된 글만 보아도 지도 앱으로 흉가를 찾아야 하는 것은. 매우 어려운 일이 아닐까? 생각된다.

단도직입적으로 말하면 초보자는 매우 어려운 것은 사실이며 처음에만 어렵지 하다 보면 매우 익숙해진다.

제2장 흉가는 어떻게 찾는 것일까?

저자가 이 책을 쓰는 이유 중 하나가 어려운 방법을 요령 있고 분석을 통해 찾는 방법의 내용을 담는 것이다.
이 방법은 인터넷에 검색해도 아마 이런 부분을 설명하고자 하는 내용은 없을 것이며 이 책 역시 돈을 주고 구매한 것인데 어느 정보에도 없는 내용이 있어야 하는 것 당연한 것이다.
흉가를 지도 앱으로 찾는 것. 저자의 입장에서는 가장 선호하는 방법이라 생각하고 흉가 체험은 위험한 취미라는 단점이 있지만 만큼 인터넷에 주소가 나와 있는 흉가를 가는 것보다 이렇게 스스로 찾아서 체험하는 것이 더 안전할 수 있고 찐 흉가를 찾을 수 있을 것이다.
물론 안전하다는 의미는 몸으로 직접 체험하는 것에 대한 신체적 안전을 뜻하는 것이 아니지만 인터넷에 주소가 유포되고 많이 사람들이 갔던 흉가는 법적 처벌에 대한 엄중 경고장이 붙어 있거나 어느 날 갑자기 보안 시설이 설치되었을 가능성이 높으며 스스로 찾아가는 흉가가 특별히 문제 없이 체험할 수 있다는 의미이다.
앞에 설명한 것처럼 '흉가'라고 검색한다고 흉가가 나오는 것이 아니며 이런 경우는 잘 없겠지만 흉가라는 문구가 상호명으로 등록된 업소나 회사가 검색될 것이다.

그렇다면 지도 앱에서 어떻게 흉가를 찾을까?

제2장 흉가는 어떻게 찾는 것일까?

처음에는 위성 지도를 먼저 확인해야 하고 그 다음은 로드뷰(거리뷰)를 활용해야 한다.
위성 지도는 다른 말로 항공뷰라고 하며 스카이뷰라고도 한다.
그리고 다른 지도 어플에 비해 업데이트가 자주 되어서 더 좋은 점이 가장 큰 장점이라 할 수 있다.
자 여기까지 내용으로 보면 이 글이 흉가를 찾는 방법인지 지도 어플을 활용하는 방법인지 헷갈릴 수가 있지만 일에는 순서가 있듯이 나중에 이해도를 높이기 위해 차근차근 설명하는 글이다.

* 중요 *

지도 어플(앱)을 활용하는 흉가를 찾는 방법은 **제4장 풍수지리를 알아야 흉가가 보인다.** 편에서 구체적인 설명이 있다.

위에 사진은 카카오 지도 앱 항공뷰(위성 지도)의 모습이며 만약 이 모습이 안 나온다면 설정을 다르게 해야 하며 가장 먼저 위성 지도를 보고 참고해야 한다.

위 사진은 카카오 지도 앱을 예로 보여준 이미지이며 지도+스카이뷰로 설정해야 흉가 찾기가 더 편하며 오른쪽에 있는 3D스카이뷰는 서비스는 흉가를 추정하는데 더 많은 도움이 된다.
하지만 3D스카이뷰는 서비스 제공이 되는 곳도 있고 제공이 안되는 곳도 더 많다는 것이 현재 상황이지만 앞으로는 서비스 제공되는 지역을 확장한다고 하며 앞으로는 많은 흉가를 찾는데 더 편할 것이고 흉가를 찾을 확률을 높이게 된다는 점이다.
물론 지도 앱을 만든 회사는 흉가 잘 찾으라고 이런 서비스를 확장하는 것은 아니겠지만.

3D스카이뷰가 흉가를 찾는데 도움 된다. 라는 의미보다 흉가라고 추정하는데 도움 된다는 것이 더 정확한 말이다.
(3D스카이뷰로 본 추정되는 흉가 모습)

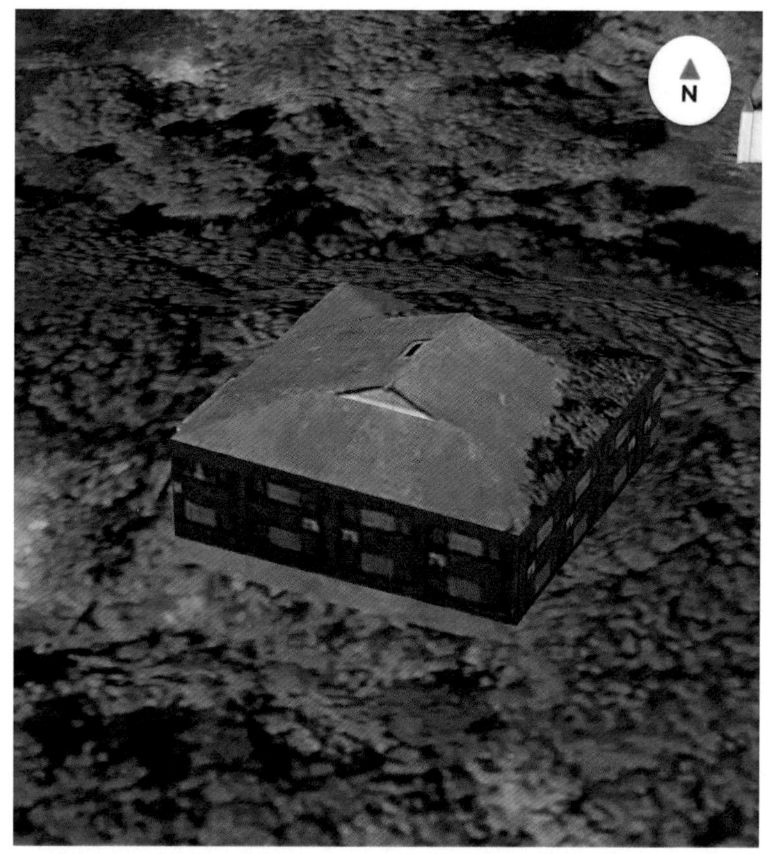

3D스카이뷰로 본 추정되는 흉가 모습이며 주변에는 나무로 둘러 막혀서 원만한 진입로가 잘 보이지 않는다.

오른쪽에 지붕도 나무 풀로 추정되는 것이 붙어져 있는 것을 보면 관리되고 있지 않는 듯한 모습이며 3D스카이뷰가 보이는 위치는 이렇게 흉가로 추정하기가 더 쉽다는 장점이 있다.

3D스카이뷰로 본 공장 건물의 모습이다.

자동차가 주차되어 있고 아주 선명한 사진이라 할 수 없지만 건물 주변이 깔끔하기에 이런 건물은 현재 운영하는 건물이 대부분이며 이렇듯 3D스카이뷰는 관리하는 건물. 관리가 안 되는 건물. 추정하기가 쉽다.

제2장 흉가는 어떻게 찾는 것일까?

여기서 또 궁금증은 위성 지도를 보고 어떻게 흉가를 찾는지 그 방법이 중요하지만 지도 앱으로 흉가를 찾는 방법은 **제4장 풍수지리를 알아야 흉가가 보인다**. 편에서 자세히 설명할 것이며 그것보다 먼저인 순서는 흉가라고 의심되는 장소를 조금 더 구체적으로 확인하는 방법이다.

위성 지도를 보고 어떤 건물을 흉가라고 의심해야 하는가?

나무도 덥힌 지붕이 보이며 이런 비슷한 곳을 찾으면 흉가일 가능성이 높다. 38이라는 숫자가 작게 보인다. 저 번호는 건물의 지번이며 산속에 숨어 있는 흉가를 찾는데 도움이 된다.

38이란 숫자는 지번의 의미하며 사람으로 치면 주민등록 번호라고 생각하면 된다. 물론 건물에 번호가 등록되어 있지 않는 건물도 있지만 그런 경우는 매우 드물며 번호(지번)가 있는 건물이 99% 이상이라고 보면 된다.

위성 지도로 흉가라고 추정되는 곳을 찾았으면 그 다음은 로드뷰(거리뷰)를 확인해야 한다.

예1)

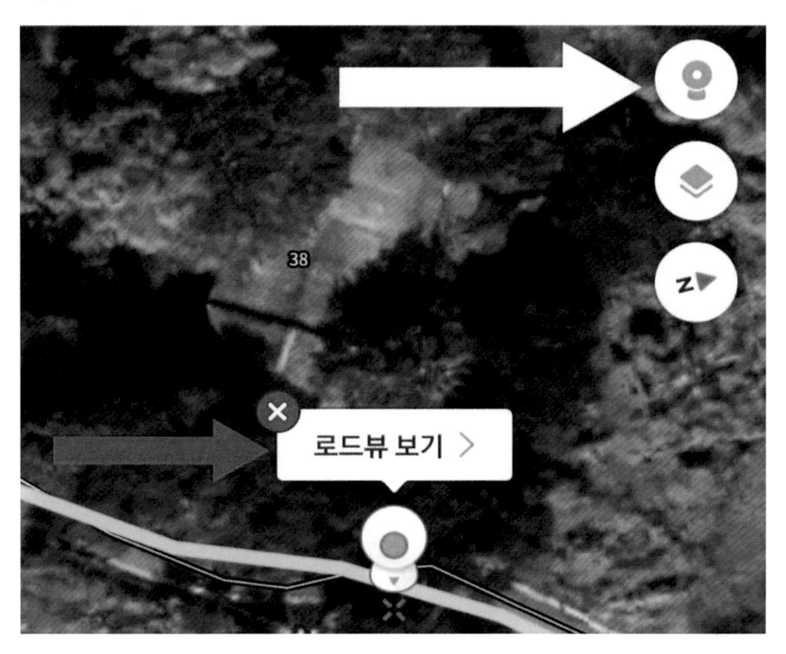

제2장 흉가는 어떻게 찾는 것일까?

하얀색 화살표 표시를 보면 로드뷰를 확인하는 마크이다.
저 마크를 먼저 클릭하면 빨간색 화살표에 로드뷰 보기가 뜬다.
로드뷰 보기를 '터치'하면 지붕만 보이는 건물의 본건물 모습을 확인 할 수 있다.

예2)

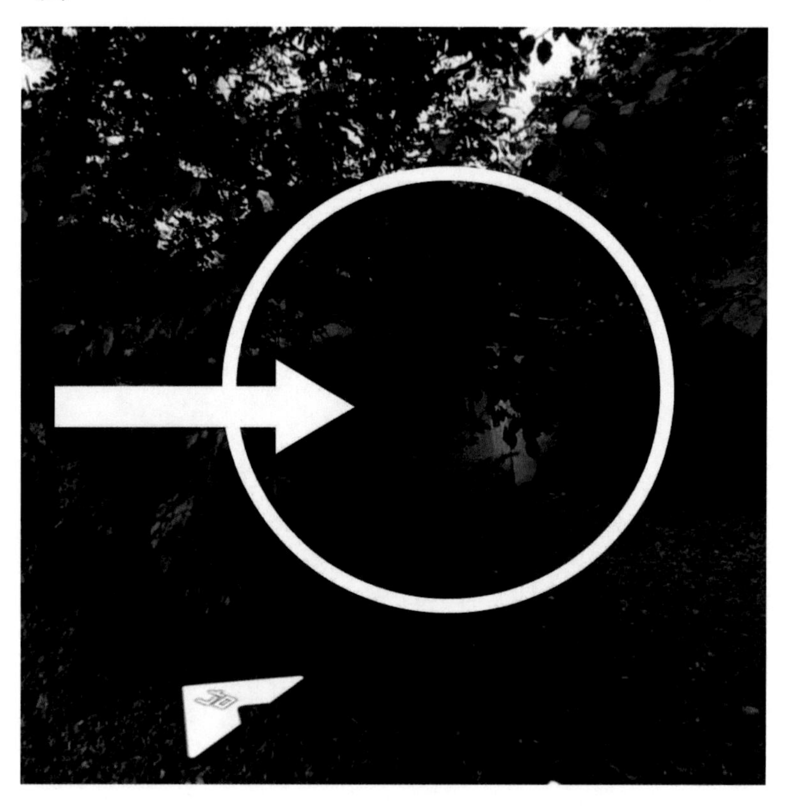

나무에 가려져 집이 잘 보이지 않지만 원 모양과 화살표 방향을 보면 집이 숨어 있다는 느낌을 받는다.
나무로 가려져 있다는 것은 관리가 안 되는 집이며 저런 집이 흉가일 가능성이 높다는 의미이다.
물론 그냥 방치된 빈집(폐가)일 수도 있지만 지금은 저런 집이 흉가냐 폐가냐를 말하는 게 아닌 흉가일 가능성을 높은 집을 확률적으로 추정하고 방법과 요령을 이야기하는 것이니 일단 사람이 살지 않고 방치되고 있을 집을 찾는 방법이 더 중요하다.

로드뷰를 확인하고 '흉가'라 예상했는데 사람이 살고 있다면?

그럴 가능성이 있기에 로드뷰로 확인하고 현장(답사)에 가보아야 하지만 로드뷰 확인은 현장에 가보기 전에 미리 가능성 높은 확률적으로 보아야 하며 예상하지 못한 변수도 생각해야 한다.
물론 사람이 살 수도 있으며 저렇게 집 주변을 관리하지 않고 살고 있다는 것은 보통 3가지의 경우다.

1. 아주 고령인 독거노인이 사시는 집.
2. 생활이 매우 게으른 사람이 살고 있는 집.
3. 풍수를 믿지 않고 정신이 이상한 사람이 살고 있는 집.

제2장 흉가는 어떻게 찾는 것일까?

우리는 흉가가 될 가능성이 있는 집을 찾는 게 아니라 지금 현재 흉가인 집을 찾는 것이지만. 저런 집에 누구든 사람이 살고 있다면 풍수학적으로 좋은 기가 들어오지 않기 때문에 나중에 흉가가 될 확률이 매우 높으며 현재 그 누구든 사람이 살고 있다면 추후 3년 이내에는 흉가가 되어 있을 확률이 높다.
물론 시골의 특성상 흉가가 되어도 인근 주민이 창고나 다른 목적으로 사용할 수 있지만..

그렇다면 위성 지도로 확인했을 때 저 사진처럼 나무도 덥혀 있는 건물을 쉽게 찾을 수 있을까?

이 부분도 독자분들이 매우 궁금할 것이다.

그냥 생각 없이 무작위로 찾으면 찾기가 매우 어렵다.
물론 운이 좋으면 빨리 찾을 수 있고 하루 종일 지도 어플을 보면서 시간 투자해도 한 두군데 정도만 찾는 경우도 있으며 아무 생각 없이 무작위로 찾는다는 건 백사장에서 진주 찾는 것과 마찬가지의 의미이다.
앞에서도 언급했듯이 **제4장 풍수지리를 알아야 흉가가 보인다.** 편에서 지도 앱을 활용한 흉가를 찾는 방법이 설명되어 있다.

로드뷰가 보이지 않는 집은 어떻게 추정하는가?

위성 지도로 보면 건물이 숨어 있다고 추정되는데 로드뷰로 터치해서 보면 집 자체가 보이지 않는 경우도 상당히 많은 편이다.

위성 지도에는 집이 있는데 로드뷰에 보이지 않는 경우

1. 집이 산속 깊숙하게 있는 집.
2. 집 근처에 나무가 너무 많아서 완전히 가려진 집.
3. 로드뷰 카메라 각의 위치보다 지대가 매우 낮은 집.

위 3가지 중 하나일 가능성은 90% 이상이다.

국가 중요 건물이나 국기 기밀 건물은 로드뷰에 보이지 않는다고 생각하는 사람도 있지만 그런 건물은 위성 지도에도 건물이 존재하지 않는다.

* 위성 지도와 로드뷰에도 보이지 않는 건물 *
1. 국정원 소속의 건물
2. 군부대
3. 기타 국가기밀 건물

제2장 흉가는 어떻게 찾는 것일까?

이 3가지의 건물은 위성 지도에도 존재 하지 않으며 로드뷰에는 모자이크 처리되어 있어 지도 어플로 볼 때는 일반인이 확인 할 수 없다.

3가지 중에서 폐건물이 된 곳은 위성 지도에는 나오지 않지만 로드뷰 상으로 확인 할 수 있고 위치를 알더라도 왠만하면 그런 곳은 방문 안하는게 좋다.

방송인이든 취미로 체험하는 사람이든 아무 문제 안 생긴 사람도 있지만 추후 문제가 생겨 곤욕을 치룬 사람도 꽤 많다.
물론 운이 나빴기 때문이지만..

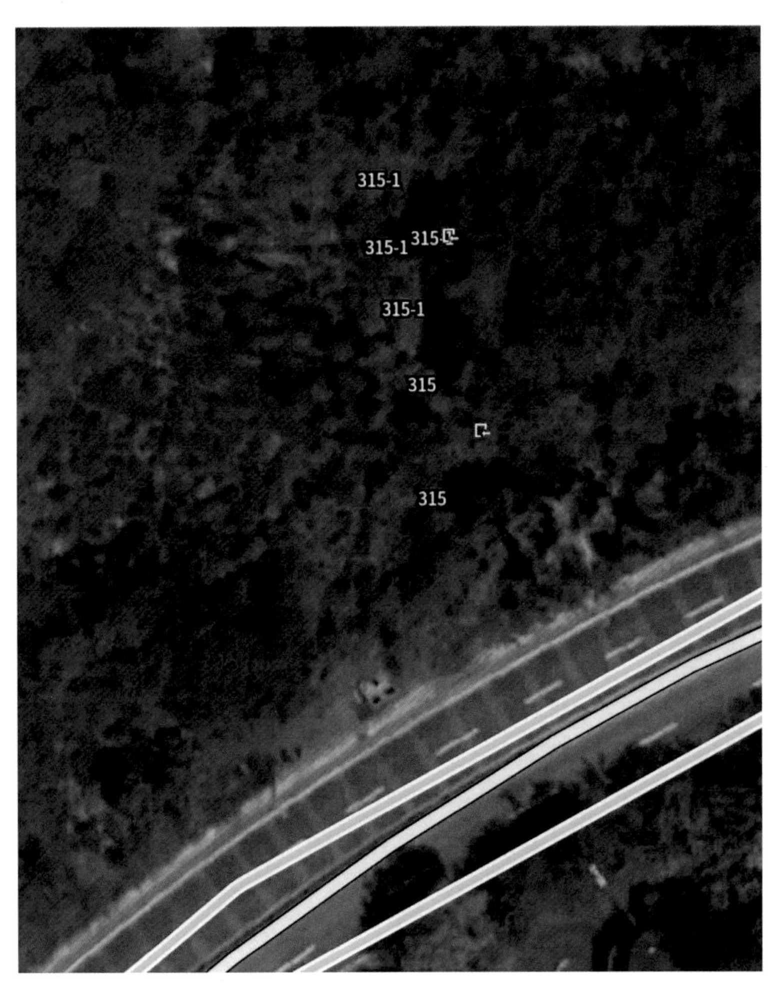

이 위성 지도를 보면 번호가 여러 개 있다는 것이 보인다.

저 번호는 건물의 지번이며 건물이 여러 채 존재한다는 것이다.

이 건물의 모습을 보기 위해 로드뷰를 확인해 보았다.

앞 페이지의 위성 지도를 보고 로드뷰를 확인했는데 건물이 전혀 보이지 않는 경우가 많다. 아니 생각보다 꽤 많을 것이다.
이런 경우도 앞 페이지에 내용처럼 3가지의 경우 중에 있다.

위성 지도에는 건물이 존재하는데 로드뷰에는 보이지 않는다면 무조건 현장에 찾아가서 확인해야 하며 로드뷰로 잘 보이는 집도 마찬가지다.
흉가를 직접 찾아서 체험하는 것이 목적이라면 현장에 찾아가는 것은 당연하지만 로드뷰로 보이는 집보다 로드뷰에 보이지 않는 집이 진짜 찐 흉가일 가능성이 높으며 문제는 진입하기가 매우 극한 환경일 수도 있다는 점을 감 안 해야 한다.
산속에 완전히 숨어 있는 집을 탐험할 때는 여름보다는 겨울이 더 수월할 수 있다.
풀이 죽어있고 나무는 을씨년스럽게 앙상해서 자연적인 환경을 뚫고 진입하는 것이 여름보다는 더 수월하다는 의미이다.
흉가 체험하면 공포가 느껴지는 곳을 가는 곳인데 추운 날씨보다 더운 여름날을 더 선호하는 사람이 많지만. 사실 산속의 흉가나 나무나 잡풀로 덥힌 집은 각종 벌레나 뱀 등 생각하면 날씨가 더운 여름보다 겨울의 체험이 오히려 더 안전하다.
흉가를 많이 찾아서 다양한 흉가를 가보는 것이 성공의 요인이라고 말하면 상당히 우습게 들리지만 이처럼 지도 앱으로 흉가를 찾는 것이. 첫 번째의 단계고 그 다음은 무조건 현장에 가봐야 한다.
로드뷰로 확인하는 것은 흉가로 추정하는 확률을 높이는 것이지 현장에 가보지 않는 이상은 100% 확실하지 않다는 것이다.

제2장 흉가는 어떻게 찾는 것일까?

위성 지도를 보고 흉가를 추정해서 찾는 방법 이외에는 또 다른 방법이 있을까? 물론 있다. 크게 효율성 있고 영양가 있는 방법은 아니지만 다중이용업소 중 폐업한 장소를 간단하게 찾는 방법이며 상호가 등록 안 된 가정집이나 창고 축사 같은 건물이 아닌 과거 영업 등록했던 업소만 찾는 건 가능하다.
대표적으로 모텔이나 식당 카페 등 영업을 했던 곳이며 폐교가 된 학교나 유치원 어린이집 학원도 가능하다.
폐병원이나 폐공장은 지역별로 차이가 조금 있어 복불복이며 이 방법으로 주소를 찾아 탐험하는 것은 조금 위험할 수 있고 로드뷰 상에는 폐업한 곳처럼 보이지만 막상 현장에 가면 영업 중인 곳도 있으나 운영하지 않아도 영업이 아닌 주인이 주거 목적으로 살고 있을 가능성도 있으니 집 근처이거나 가는 길이 코스가 맞는 방향이 아닌 이상은 실패할 가능성을 충분히 열어두고 찾아야 한다.

카카오 지도 앱이든 네이버 지도 앱이든 일단 어플을 켜고 만약 폐모텔을 찾으려고 가정한다면 찾고자 하는 지역이랑 모텔을 같이 검색하면 된다.
주의할 점은 모텔이라고 검색해야지 폐모텔이라고 '검색'하면 안 된다.

만약 울산의 폐모텔을 찾으려고 한다면 지도 앱에 '울산 모텔' 이라 '검색'하면 울산 지역의 모텔이 마치 맛집 찾는 거처럼 표시되게 나온다.

물방울 같은 파란색은 모텔로 등록된 건물을 '체크'되어 있는 부분이며 하나하나 터치해서 보면 영업하고 있는 곳은 쉽게 거를 수 있다. 울산 모텔이라 하는 것은. 예로 설명하는 것이지 울산에 폐모텔이 많다는 의미는 아니다.

야XX 여기XX 같은 숙박 앱에도 등록되어 있지 않고 제로페이 가맹점도 아니고 전화번호까지 등록되어 있지 않다면 폐모텔일 가능성이 매우 높다.

그런 모텔을 발견했다면 두 번째로 앞에 설명했듯이 로드뷰를 확인해 보자.

주차된 차량도 없고 무언가 횡 한 느낌이 들며 영업도 중단된 듯 보이는데 출입 금지 간판도 없고 쇠사슬로 차량 진입을 막지도 않았다. 이런 곳은 사연이 있는 폐모텔일 가능성이 높다.

물론 지도 앱을 이용한 흉가를 찾는 방법 중 이런 방법도 있다는 의미이지 무조건 특정 지역의 폐모텔을 100% 찾는 방법은 아니며 방치된 지 20년 30년 된 폐모텔은 지도 앱에 등록조차 안 되어 있는 장소도 상당히 많다.
모텔의 경우는 예로 설명한 부분이며 식당, 카페, 병원, 기타 소매점 등 다 마찬가지다.

지도 앱에 나오지 않는 곳은 어떻게 찾아야 하는가?

구글 검색이나 구글 지도로 찾는 것이 최소한의 방법이다.
앞에 내용에서는 구글 지도를 적합하지 않는다고 했지만. 카카오나 네이버에 등록 안 된 장소는 구글에는 나와 있을 확률이 높으며 구글에서 나온 주소를 확인하고 로드뷰로 건물의 모습을 확인하거나 로드뷰로 건물의 모습이 나오지 않는다면 직접 찾아가 볼 수밖에 없는데 오래 방치된 장소가 진입이 될 가능성이 매우 높다.
물론 관리가 안 되는 건물일수록 풀숲을 뚫고 가야 할 것이다.

검색으로 찾기 가장 쉬운 곳은 폐교이다.
굳이 초등학교 중학교 검색할 거 없이 지역에다가 폐교라고 검색하면 실제 폐교가 된 학교가 거의 전부 뜬다고 볼 수 있다.

제2장 흉가는 어떻게 찾는 것일까?

집 가까운 폐교를 찾고 싶으면 그냥 '폐교'라고 검색해도 된다. 방치된 지 상당히 오래된 폐교이거나 다른 용도로 사용하는 폐교는 예외이지만 지도 앱 검색으로 많은 정보를 찾을 수 있는 곳은 바로 학교다.

폐교를 찾는데 가장 큰 장점은 스마트폰으로 쉽게 정보를 찾을 수 있지만 단점은 체험이 가능한 폐교를 찾는 게 그리 쉬운 편은 아니라는 점이다.
저출산 문제가 지속되면서 대도시에도 폐교가 되는 학교가 나올 정도인데 소도시나 시골의 폐교가 많아지는 것은 어제오늘 일이 아니다.

그냥 폐교가 된 학교를 찾는 것은 쉽지만 진입이 자유롭고 체험이 가능한 폐교를 찾는 방법은 무조건 현장에 가보는 방법 밖에 없다.
폐교가 늘어나면서 지자체에서는 흉물스러운 건물을 방치하지 않기 위해 체육시설, 자연학습장, 박물관, 캠핑장, 드론학원, 농기구 창고 등으로 활용하는 폐교가 상당히 많다는 것이다.

로드뷰를 통한 체험 가능한 폐교의 입구 모습

어느 시골 마을의 폐교를 로드뷰로 본 모습이다.

진입하는 길은 깨끗하게 보이지만 건물을 자세히 보면 유리창이 깨져 있다. 운영하는 학교가 깨진 유리를 방치하고 수업을 하는 학교는 없을 것이다. 그리고 운동장으로 가는 길이 깔끔하게 보여서 폐교가 아닐 거라? 생각할 수 있지만 시골의 폐교는 건물은 사용하지 않아도 운동장은 주민들이 활용할 수 있기에 로드뷰로 확인할 때 주변 길 보다는 건물을 자세히 봐야 한다.

제2장 흉가는 어떻게 찾는 것일까?

흉가를 찾는 방법의 설명 중 지도 앱을 활용한 설명의 비중을 많이 두었다. 이 방법은 남들이 모르는 흉가와 정말 사연이 있는 흉가를 찾을 확률이 더 높다는 의미이며 흉가를 찾는 여러 가지 방법 중 지도 앱을 활용한 방법 이외에는 마음만 먹으면 핸드폰 검색으로도 충분히 가능하고 편한 방법이긴 하지만 흉가 체험을 취미 삼아 사진을 찍어서 SNS 올리는 등 활동했을 경우 지금 당장은 문제가 없겠지만 혹시나 그 흉가가 체험단들 사이에 매우 유명해지고 인근 마을 사람들까지 소문이 나서 후에는 언론 기사까지 나오는 경우가 있다.

물론 흔한 경우는 아니지만 조심해서 나쁠 거 없다는 말이 있듯이 본인이 다녀간 흉가 장소가 크게 소문이 나면 법적인 문제가 생기는 경우가 있을 수 있어 가능하면 다녀간 흔적을 남기지 말아야 하며 잠시 체험만 하는 경우 이외에 다녀갔다는 증거나 흔적을 남기면 그 이후에 혹시나 문제가 될 수 있다.

증거와 흔적이라는 의미는 꼭 사진 촬영이나 영상 촬영을 말하는게 아닌 벽에 낙서하거나 기물파손 하는 행위 쓰레기 투기를 하는 행위 건물 내 물건을 절도하는 행위 등도 마찬가지다.

제2장 흉가는 어떻게 찾는 것일까?

흉가를 찾는 방법 중의 장단점.

1. 인터넷 검색

장점 : 정보를 전혀 모르는 초보자도 찾기 쉽다.

단점 : 출입이 안 되거나 보안 시설이 있을 수 있다.

2. 경매 사이트 활용

장점 : 꼼꼼하게 살펴보면 정보를 쉽게 찾을 수 있다.

단점 : 철저히 관리 되는 건물이 많아 출입 안 되는 곳이 많다.

3. 재개발이나 재건축 지역

장점 : 찾기가 쉬우며 타이밍이 잘 맞으면 출입이 자유롭다.

단점 : 건물 내부에 물건이 거의 없어 체험의 재미가 없다.

4. 폐건물에 관한 언론 기사

장점 : 언론 보도 후 빨리 가면 출입이 자유롭다.

단점 : 지도 앱을 활용 못 하면 위치 추정이 어렵다.

5. 사건 사고에 관한 언론 기사

장점 : 공포를 좋아하는 사람은 진정한 찐 공포감을 느낀다.

단점 : 지도 앱을 활용 못 하면 위치 추정이 어렵다.

6. 인맥을 통한 방법

장점 : 사람들과 친해질 수 있으면 정보와 사연을 알 수 있다.

단점 : 인맥이 없다면 정보를 얻기 위해 시간 투자가 필요하다.

7. 지도 어플 활용

장점 : 남들이 잘 모르는 나만 아는 찐 흉가를 찾을 수 있다.

단점 : 초보자는 찾기가 어렵고 시간을 투자해야 한다.

제3장 흉가 방송인들은 어떻게 흉가를 찾을까?

흉가 방송 시청자들은 보통 저 방송인은 저런 장소를 어떻게 찾지? 하며 궁금할 것이며 만약 한번도 궁금한 적이 없다면 흉가에 대한 관심보다 방송 진행하는 사람 자체가 좋아서 일 것이다.
보통은 시청자의 제보로 찾아가서 방송하거나 방송하기 전에 흉가를 어떻게든 찾아다녀서 정보를 이미 많이 알고 있거나 흉가 주소를 많이 알고 있는 주변 지인의 도움 받는 경우도 있으며 나무위키 정보 같은 인터넷 검색으로 흉가를 찾는 사람도 있다.
시청자의 제보는 한계가 있다.
시청자의 제보는 방송하는 사람 입장을 생각 잘 안 하기에 방송 환경에 적합하지 않은 장소가 많아서 방송 불가능한 경우가 90% 이상이다.

제3장 흉가 방송인들은 어떻게 흉가를 찾을까?

방송 불가능한 장소를 어디를 말하는 걸까? 로드뷰 사진만 딱 봐도 입구가 막혀 있는 장소나 근처에 민가가 너무 많은 곳과 늦은 시간에도 유동 인구가 많은 도심의 지역이다.

흉가 방송이 늦은 시간에 진행하는 이유는 공포감 유도와 심령 현상 발견에 좋은 시간대인 이유도 있지만 중요한 건 사람들 눈에 안 띄기 위한 목적이며 혹시나 인근 주민들이 흉가 방송하는 것을 목격하면 도둑이나 강도로 오해받기 쉬운 방송이 흉가 방송이라 어쩔 수 없는 부분이다.

그리고 흉가 주소가 인터넷상에 많이 노출되어 이미 많은 사람이 체험했고 내부 시설만 봐도 주소를 알만한 신고 위험이 매우 높은 흉가 장소를 제보하는 경우도 많다.

위험한 상황을 감당해야 하는 부분도 제보자가 아닌 방송하는 사람의 책임이기 때문에 함부로 방송하지 못하는 것이다.

물론 방송인 입장 생각해서 사연도 있고 괜찮은 흉가 장소를 제보하는 시청자도 있지만 아주 가끔이며 자주 들어오지 않는다.

흉가 방송을 가끔 진행하지 않는 이상은 시청자가 제보해 주기를 기다리며 방송할 수는 없다.

흉가 방송인도 사람마다 스타일이 다르고 색깔이 다르듯이 흉가를 찾는 방법도 위 내용처럼 지인이나 시청자의 도움이나 인터넷 검색이 아닌 색다르고 기발한 방법으로 흉가를 찾아내서 방송하는 사람도 있을 것이다.

제3장 흉가 방송인들은 어떻게 흉가를 찾을까?

방송 초보자는 노인들만 살법한 인근의 시골 마을에 가서 찾으며 직접 발로 뛰며 정보를 알아낼 것이며 다른 방법은 타이밍만 좋으면 출입이 자유롭고 한 지역에 방송을 여러분 할 수 있는 재개발 지역도 많이 찾는다.

방송 초보자가 흉가를 찾는 방법의 경우는 보통 2가지 유형이 있다.

경비와 시간을 투자해서 장소 하나하나 힘들게 찾아내 방송을 하는 사람도 있고 인터넷 검색이나 흉가 주소를 많이 알고 있을 법한 사람들이 모여 있는 흉가 동호회에 가입해서 주소를 얻어 내려는 사람도 있다.

물론 전자의 경우가 방송을 오랫동안 꾸준히 하는 경우가 많다.

무슨 일이든 마찬가지겠지만 어떻게든 하다 보면 요령과 노하우가 생기기 마련인데 정보를 그냥 알아내거나 인터넷 검색으로 찾는 것은 한계가 있어 스스로 찾는 법으로 나아간다.

그 스스로 찾는 방법이 지도 앱을 활용해서 위성 지도로 찾는 방법과 지도 앱으로 특정 업종의 폐업한 가게나 업소를 찾는 방법이다.

물론 방송 진행하는 사람에게 흉가는 어떻게 찾아요? 물어본다고 해도 솔직하게 대답해 주는 사람은 거의 없으며 이것은 맛집으로 유명한 식당에 가서 이 맛을 내려면 어떻게 해야 해요? 물어보는 것과 똑같은 말이다.

제3장 흉가 방송인들은 어떻게 흉가를 찾을까?

방송을 오랫동안 진행하면서 알게 된 사람이지만 흉가 방송만 5년 이상을 했는데 지도 앱을 전혀 활용 못 하는 사람도 있다.
흉가 현장에서 타 흉가 방송인을 만나면 무조건 공유하자고 하고 본인은 인터넷에 주소가 유포된 장소를 상대에게 주고 본인은 시청자들 반응이 좋고 남들이 잘 모르는 흉가를 받으려고 하는 날강도 같은 흉가 방송인이 있다.
더 기가 막힌 건 본인은 불공정하게 흉가 주소를 공짜로 받아서 방송하면서 시청자가 흉가를 어떻게 찾아요? 물어보면 아주 힘들게 찾지요. 하며 아주 뻔뻔하게 대답하는 사람이 있다.
물론 이 이야기는 지금 목차에 맞는 주제가 아니니 각설하고 흉가 방송인의 흉가를 찾는 방법을 알려주고자 한다.
어떤 방송은 폐모텔만 주로 가는 방송도 있고 어떤 방송은 산속이나 시골에 있는 흉가를 주로 가는 사람도 있으며 어떤 방송은 큰 대형 폐건물과 폐모텔, 폐식당, 폐공장, 일반 가정집 흉가 등 장소를 가리지 않고 가는 곳마다 다 사연이나 사건이 있었고 내부에 물건도 많고 곰팡이도 많고 벽지도 뜯어져 있고 분위기가 을씨년스러운 곳만 가는 방송도 있다.
이 후자의 경우는 절대 흉가를 힘들게 찾아서 가는 사람이 아니며 누군가에게 흉가 주소를 공짜로 얻어서 가는 사람이거나 공유한다면 잔머리를 써서 불공정하게 정보를 얻는 유형이다.

제3장 흉가 방송인들은 어떻게 흉가를 찾을까?

스스로 힘들게 찾고 답사하는 데 가는 곳마다 항상 사연이 있을 만한 공포스러운 장소를 찾아 방송하는건 불가능하다.
공포스러운 장소만 가니 시청자도 많고 후원도 많이 들어온다.
세상 경험도 많고 사회생활을 많이 해본 사람은 알겠지만 착한고 정직한 사람 보다 사기 기질이 있는 사람이 돈을 더 많이 번다. 딱 이것과 일치하다 생각하면 된다.

1. 폐모텔을 자주 가는 방송

폐모텔을 자주 찾아간다는 것은 검색을 효율적으로 잘하는 자기만의 노하우가 있으며 물론 처음에는 폐모텔 찾기가 힘들겠지만 하다 보면 요령이 쌓이고 현장에 가보지 않는 이상은 진입이 가능한지 확실하지 않을 뿐 폐업한 모텔을 찾는 것은 그리 어렵지가 않다.
예를 들어 방송인이 사는 지역이 서울이라면 김포, 강화도, 화성, 용인, 포천, 동두천, 포천, 가평 등 경기도 인근의 위치를 많이 선호하며 집이 부산이라면 김해, 창원, 경주, 울산, 밀양 같은 지역을 선호한다.
선호하는 지역의 특성은 민가가 많이 없는 외진 곳이나 시골 마을 산속의 건물이 많다는 점이다.
가고자 하는 지역의 폐모텔을 찾는다면 두 가지 방법이다.

제3장 흉가 방송인들은 어떻게 흉가를 찾을까?

가고자 하는 지역을 적고 모텔이라고 검색하면 그 지역의 모텔들이 나온다.

예를 들어 경주에 있는 폐모텔을 찾고 싶으면 '경주 모텔'이라 검색하면 되며 물론 '경주 여관'이라고 검색해도 되지만 요즘에는 여관이라 간판 달고 영업하는 곳이 많지 않다는 점도 참고해서 찾아야 하며 일단 그 지도 앱에 등록된 경주 모텔이 많이 나오며 중요한 것은 지도 어플을 한가지가 아닌 여러 지도 어플을 사용해 봐야 한다.

예를 들어 네이버에는 등록되어 있는데 카카오에는 없을 수도 있으며 폐업한 지 오래된 모텔은 모든 지도 어플에 없을 수도 있기에 구글을 활용하는 것도. 남들이 모르는 폐모텔을 찾을 수 있다.

우리나라는 협회 단체가 정말 많다.

대한민국의 숙박업소를 관리하는 숙박협회가 있으며 지역별로 폐업한 숙박업소를 찾을 수 있으니 이 방법을 사용하는 방송인도 있을 것이다.

(페이지 58~62페이지 참고)

2, 산속에 숨어 있는 흉가를 자주 가는 방송

산속의 숨어 있는 흉가는 지도 앱(위성 지도)만 활용한다.

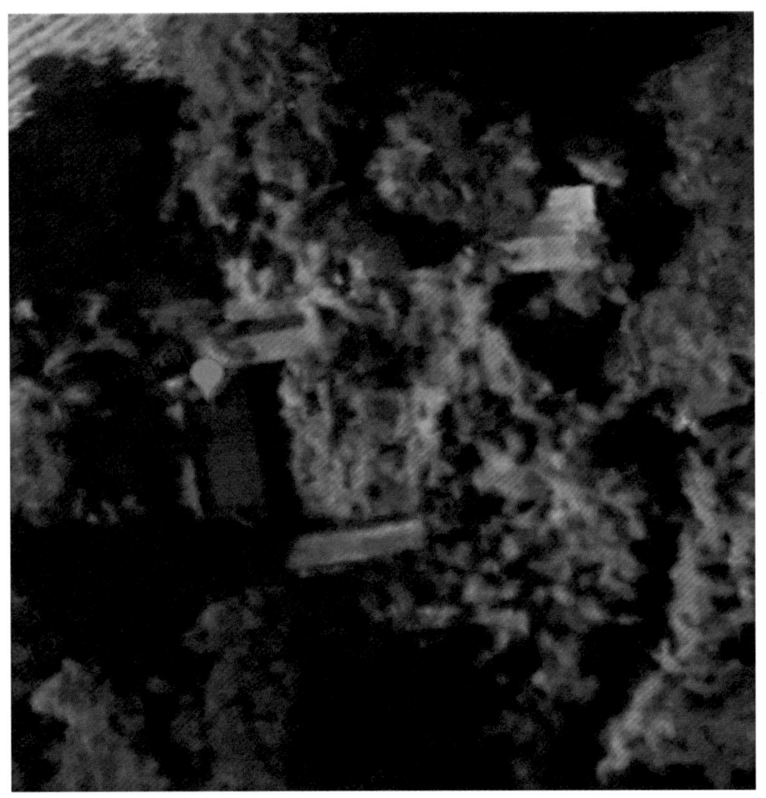

지도 앱을 열어 산 주변만 자세히 보면 이렇게 숨어 있는 듯한 집을 발견할 수 있다. 보통은 건물에 번호가 있지만 저 사진은 확대해서 번호가 안 보이는 경우다. **(앞 페이지에도 언급했지만 간혹 없는 건물도 있다.)**

물론 아닐 수도 있지만 이런 집 사연은 없더라도 풍수적으로 사람이 살기 힘든 흉가일 수도 있다는 것이다.

3. 장소 불문하고 정말 을씨년스러운 장소에 많이 가는 방송

장소 불문하고 큰 장소를 많이 가는 방송 중 가는 곳마다 집기 용품이나 물건이 많고 분위기도 을씨년스러우며 어디를 가도 다 사연이나 사건이 있다고 소개하는 방송은 위 2가지 방법처럼 스스로 흉가를 찾지는 않는다.
폐모텔이든 산속의 흉가든 가는 곳마다 건물 내부에 물건이 많고 분위기가 을씨년스러운 장소만 방송할 수가 없으며 전혀 흉가 같지 않고 사연도 없을법한 텅 빈 건물도 방송할 수밖에 없는 게 현실이다.
작은 가정집 흉가를 가더라도 집 내부에 물건이 많고 집기용품이 많으면 보는 시청자의 생각은 사연이 있을거라 추측하고 반응도 좋고 시청자도 자연스럽게 늘어나고 운이 좋으면 후원도 많이 들어온다.
그래서 내부에 물건이 많은 흉가만 가는 방송인은 스스로 고생해서 찾는 경우는 거의 없다는 것이며 저런 방송인의 특징은 흉가 주소를 많이 알고 있는 일반인이나 흉가 방송인의 인맥을 많이 두고 있고 혹시나 방송 중에 장소가 겹쳐 만난 흉가 방송인과 주소를 공짜로 얻기 위해 연락처를 얻고 필요할 때만 연락하며 흉가 주소를 얻기 위해 만나서 식사 한 끼 사주거나 약간의 비용을 주고 주소를 얻어오는 방식을 사용할 수도 있다.

그것이 아니라면 불공정한 주소 거래를 한다.
어디서 주워 왔는지 모르는 진입이나 내부 분위기도 불확실한 흉가 주소를 본인은 어렵게 찾았다고 상대에게 속이고 물건 많고 분위기 좋고 사연도 있는 흉가랑 주소 교환하자는 도둑 심보로 가진 방송인이 딱 한 명 있다.

제4장 풍수지리를 알아야 흉가가 보인다.

제2장 흉가는 어떻게 찾는 것일까? 편에서 저도 어플을 활용한 흉가를 찾는 법을 세심하게 내용을 담았으며 초보자는 어렵지만 요령과 방법을 터득한다면 더 스릴감 있고 공포스러운 흉가를 찾는 맛이 있고 중독성도 있다.
물론 저자의 입장에서도 그 방법을 추천한다는 의미이다.
여기서 중요한 것은 위성 지도를 통해 흉가인 건물을 추정하고 로드뷰를 확인해 흉가인지 아닌지 가능성을 확인하는 방법을 알았다면 그 흉가로 추정하는 건물을 어떻게 찾는 것인지가 가장 중요하다.
요즘에는 흉가 방송인이든 그냥 취미로 흉가를 찾아다니는 사람이든 지도 앱으로 흉가를 찾아 나서는 사람이 있다.
그냥 있는 정도로 아니라 저자가 생각하는 그 이상으로 많을 수도 있지만 이미 지도 앱에 전국의 수많은 흉가 주소가 저장되어 있는 사람이 이 책을 읽는다면 무언가 새롭고 기발한 방법을 예상했는데 아! 내가 아는 방법이네. 하며 실망할 수도 있다.
하지만 지도 앱으로 수많은 흉가를 찾아서 탐험한 사람도 여전히 지도 앱으로 흉가를 찾는 건 쉽지 않을 것이고 자기만의 루틴으로 효율적인 방법을 쓰는 사람은 아마 많지 않을 것이다.
시간 한가할 때 지도 앱 열어놓고 다음에는 어느 지역을 가볼까 하며 여기저기 보면서 하나만 걸려라! 하는 생각으로 찾아볼 것이며 시간을 보낼 것이다.

제4장 풍수지리를 알아야 흉가가 보인다.

물론 처음에는 지도 어플만 켜놓고 무작위로 여기저기 찾았을 것이며 지루하고 힘들다. 느낄 것이다.
백사장에서 진주 찾는듯한 방법이며 처음에는 실속 없이 시간을 많이 투자해야 하는 방법이기에 효율적으로 흉가를 찾으려면 먼저 풍수지리를 알아야 하며 기본적인 풍수지리를 알고 흉가를 찾는다면 확률적으로 가능성 높은 곳을 더 쉽게 찾는 방법이다.
우리가 무슨 공부를 하려면 지루하더라도 기본적으로 알고 넘어가야 진도가 넘어갈 수 있듯이 흉가를 찾는 것도 여기저기 막 찾는게 아닌 가장 기본적으로 풍수지리를 알아야 한다는 점이다.

흉가를 찾으려면 기본적인 풍수지리(風水地理)를 알아야 한다.

이중환 선생님의 '택리지'라는 책이 있다.
'택리지'라는 책은 이중환 선생님이 조선의 전국 팔도를 돌며 풍수지리 적의 특성을 파악해 번영하는 집과 몰락하는 집의 자연적인 차이점을 연구하시며 쓰신 책이고 인문 지리서의 시초라고 할 수 있다.
사연이 어떠한들 불운이 들어와 몰락하는 집도 그렇지 않은 집과 자연적인 특징이 있고 풍수적인 차이가 있다.
감히 비교할 수 없지만 이 글을 쓰는 저자도 흉가가 되는 집은 풍수적으로 공통된 자연적인 부분을 연구하고 관찰하였다.

제4장 풍수지리를 알아야 흉가가 보인다.

부유해지고 번영해지는 집의 특징 중 대표적인 것이 물이 잘 보이는 집이며 집 앞에 물이 흐르고 집 뒤쪽에 산이 있는 자리가 명당이라고 알려져 있다.
물은 집 밑에 흐르면 흉(凶)이고 물이 보이는 전망의 위치면 길(吉)하다. 하고 집 뒤쪽에 산이 있으면 길(吉)이고 산속에 숨어 있는 집은 흉(凶)이다.
서울의 한강이 보이는 집값이 비싼 이유이며 실제로 한강이 보이는 위치에 사는 집은 남들보다 더 비싼 관리비와 세금을 내어도 가면 갈수록 더 부유해지는 집이 많다.
이중환 선생님의 연구 기록을 보면 앞에 흐르는 물이 보이는 적절한 위치의 집을 알아보면 꼭 만석꾼이 산다는 내용이 있다.
이처럼 부자가 되어서 번영하는 집과 갈수록 가난해져 몰락하는 집은 조선시대부터 연구해 온 학문적인 자료가 있으며 이 책의 주제에 맞게 흉가를 찾는 방법도 풍수적인 특징이 있는 것이다.

풍수지리적으로 흉가를 찾는 방법은 흉가가 있을 확률이 높은 자연적인 특징과 도로의 특징 하천의 특징이 있으며 그 확률적인 통계로 흉가를 찾아야 한다.
집 근처에 묘지가 너무 가까이 있으면 흉(凶)이고 도로가 양쪽에 있으면 흉(凶)이며 집 근처에 굽이치는 하천이 있는 집도 흉(凶)이다.

제4장 풍수지리를 알아야 흉가가 보인다.

주변에 이것이 있으면 흉가가 있다.

* 저수지랑 매우 가까이 있는 집

제4장 풍수지리를 알아야 흉가가 보인다.

주변에 이것이 있으면 흉가가 있다.

* 저수지 근처를 잘 찾아보면 흉가가 있다.

물이 보이는 집은 풍수적으로 좋다고 하는데 저수지랑 가까이 있는 집이 흉가가 있을 확률이 높다는 건 어떤 차이가 있을까?
물은 창문이나 집 입구에서 물이 보이는 전망의 위치는 번영의 기운이 들어오지만 저수지가 너무 가까이 있다면 음의 기운이 너무 강력해지며 집의 밑에 수맥파의 기운이 흐를 확률이 높다.
과유불급(過猶不及)이라는 말이 있듯이 풍수는 음과 양의 기운이 자연스러우면서도 조화롭게 이루어져야 한다.

지도 앱을 활용할 때 특히 산속에 있는 저수지 찾고 그 저수지 인근의 집을 잘 확인해 보면 흉가를 찾을 가능성이 높으며 산속에 펜션이나 캠핑장이 있는 경우가 있고 산속에 위치한 사찰이나 가든 같은 식당이 숨어 있는 장소도 많다.
그 인근을 잘 찾아보면 작은 저수지가 꼭 하나 정도는 있을 것이며 저수지 인근에 건물이 있다는 것을 확인했다면 꼭 로드뷰로 확인해 봐야 한다.
그런 위치의 집은 특별한 사연이 없더라도 음의 기운이 매우 강력해서 건강하게 살지 못하며 몸이 자주 아프다.

제4장 풍수지리를 알아야 흉가가 보인다.

주변에 이것이 있으면 흉가가 있다.

* 저수지 인근에 있는 흉가의 예 (위성 지도와 로드뷰)

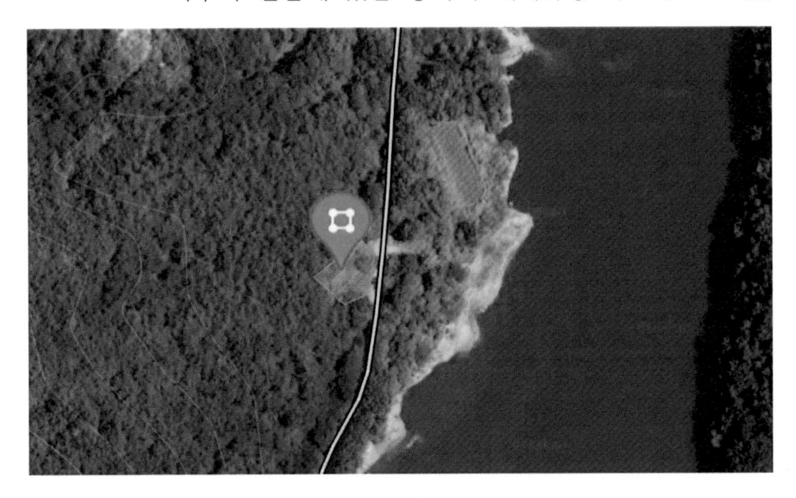

제4장 풍수지리를 알아야 흉가가 보인다.

주변에 이것이 있으면 흉가가 있다.

* 산 중턱에 위치한 집

공기 좋은 위치의 터를 잡기 위해 산속의 숨어 있는 위치에 별장으로 만들어진 집이 있다. 산 중턱의 자리가 자연적인 환경으로 인해 좋은 위치의 집이라 생각하지만 그렇지 않다. 자연적인 재해로 인한 관리가 힘들고 특히 입구 정면 방향이 나무가 가려져 있다면 음의 기운이 강력해진다.

주변에 이것이 있으면 흉가가 있다.

* 산 중턱에 있는 흉가의 예 (위성 지도와 로드뷰)

제4장 풍수지리를 알아야 흉가가 보인다.

주변에 이것이 있으면 흉가가 있다.

* 공동묘지 인근의 집

공동묘지가 가까이에 집이 있다면 그 집은 꼭 로드뷰로 확인해 봐야 한다. 풍수의 기장 기본인 음택의 풍수이며 사람이 살기에는 생기가 들어오지 않는다. 꼭 공동묘지가 아니더라도 장례식장이나 화장터 등 가까이에 집이나 건물이 있다면 방치되고 있는 폐건물도 어렵지 않게 찾을 수 있다. 물론 묘지 인근의 터는 풍수적으로 좋지 않다는 것은 기본적으로 알기에 공동묘지 인근에 건물이나 집이 없을 수도 있다.

주변에 이것이 있으면 흉가가 있다.

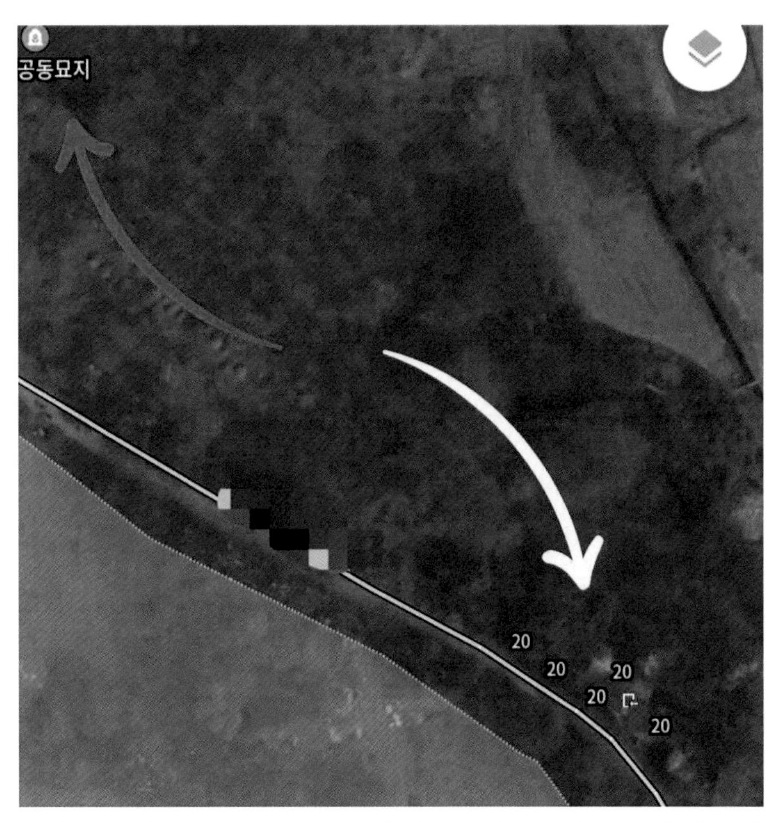

빨간색 화살표를 보면 '공동묘지'라는 문구가 지도 앱에 등록되어 있다. 무덤이 몇 개 있다고 공동묘지라 표시되어 있지 않으며 위성 지도로 그냥 보면 무덤이 잘 보이지 않지만, 확대해야 보이며 묘지가 있는 땅 범위는 보통은 넓은 편이다.

제4장 풍수지리를 알아야 흉가가 보인다.

주변에 이것이 있으면 흉가가 있다.

하얀색 화살표를 자세히 보면 번호가 여러 개 있다.
같은 번호가 여러 개 있다면 건물 소유자가 같다는 의미이며 번호가 있는 개수만큼 건물이 있다는 의미이다.
저 집이 가정집이라면 본 집과 축사 창고 등이 모여 있다고 보면 된다.

* 공동묘지 근처 집의 예 (실제 로드뷰)

제4장 풍수지리를 알아야 흉가가 보인다.

주변에 이것이 있으면 흉가가 있다.

* 집 주변에 대나무가 많은 집

위성 지도로 보면 집 주변에 대나무가 많은 집을 확인하기가 어렵다. 그래서 주변에 나무가 많은 집을 찾아야 하며 그런 집은 산속이나 등산로 입구 쪽 주변에 민가가 거의 없는 외진 곳에 그런 집이 많다. 대나무가 흉가의 의미보다는 주변이 대나무가 많으면 양기의 기운을 막아버리기 때문에 생기있는 생활이 힘들고 노인의 경우 빨리 사망해서 빈집으로 방치된다고 한다.

주변에 이것이 있으면 흉가가 있다.

* 대나무가 많은 집의 예 (실제 위성 지도)

가정집으로 추정되는 번호 있는 건물을 확인 할 수 있다.

산 근처나 산 중턱의 위치에 저런 집을 찾을 수 있는데 이 사진으로 보기에는 그냥 나무 같지만. 현장에 가보면 대나무인 경우도 예상외로 많다는 점이다.

제4장 풍수지리를 알아야 흉가가 보인다.

주변에 이것이 있으면 흉가가 있다.

* 집 앞에 하천이 있는 집

집 앞에 하천이 있다고 해서 무조건 터가 좋지 않고 흉가가 된다고는 할 수 없지만 하천의 지형이나 강줄기의 방향에 따라 흉(凶)인지 길(吉)인지 달려 있다고 보면 된다.
물은 창문에서 보이는 전망이 번영하고 집 밑에 물줄기가 흐르면 가난해지고 몰락하는 의미와 같은 것이며 그 미세한 차이가 큰 영향을 받는 게 풍수지리이다.
이 책을 읽는 독자분들은 흉가를 찾는 법을 알기 위해 이 글을 읽고 있는 것이고 흉(凶)이 될 만한 하천의 특징을 이야기하고자 하며 위성 지도로 하천 인근을 잘 보고 흉가를 찾아야 한다.
위성 지도를 보며 흉가를 찾는데 하천은 어떻게 표시되어 있을까? 지도 앱에 하천이라고 검색하면 여러 하천이 나오며 온청천. 금천. 남대천 등 하천의 이름으로 나오지만. 하천의 이름이 중요한 것이 아니라 하천 주변의 집을 잘 확인해야 하는데 하천 근처의 집이라고 모든 집의 터가 흉(凶)은 아니기에 하천의 모양을 잘 보는 것이 매우 중요하다.
물론 검색으로 안 나오는 작은 하천도 있으며 그런 하천은 산속에 몰려 있는 펜션과 캠핑장 인근이 많다.

주변에 이것이 있으면 흉가가 있다.

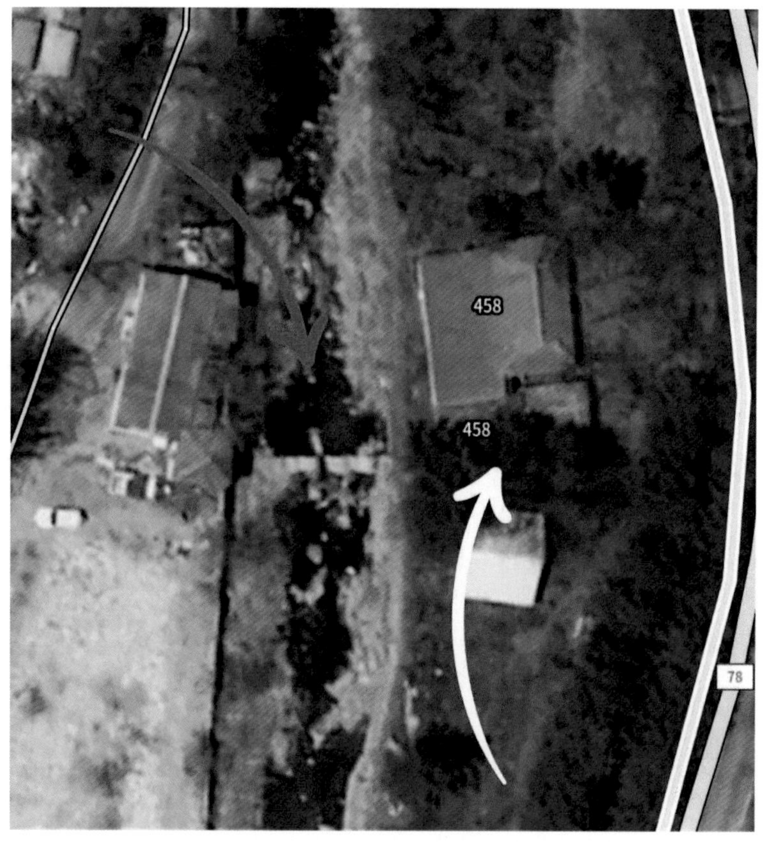

어느 하천 부근에서 찾은 흉가이며 빨간색의 표시가 위성 지도로 본 하천의 모습이다. 검색으로 안 나오는 하천이며 지도상으로 하천 구분하기가 애매한 점이 단점이다.

주변에 이것이 있으면 흉가가 있다.

* 하천이 있는 집의 예 (실제 로드뷰)

풍수적으로 어떤 지형이냐에 따라 흉가가 있을 가능성이 높으며 하천의 지형이랑 관계없이 하천이랑 너무 밀접하게 붙어 있어도 수맥파가 흐를 가능성이 높다. 하천이랑 너무 가까운 집을 찾아가 보면 흉가로 방치된 집이 생각보다 많을 것이며 관리가 안 되어 있는 집도 많다. 내부에 진입해 보면 엄청난 곰팡이가 있을 것이며 벽지도 뜯어져 있을 것이며 달마도나 알 수 없는 부적이 붙여진 집도 많이 발견할 수 있다.

제4장 풍수지리를 알아야 흉가가 보인다.

주변에 이것이 있으면 흉가가 있다.

건물 주변에 곡선의 굽이치는 지형의 하천이 좋은 기가 들어오지 않고 흉한 기운이 나가지 않는다.

강줄기가 흐름이 자연스럽지 못한 지형의 하천이며 사람이 지병으로 죽거나 후손이 끊어진다.

제4장 풍수지리를 알아야 흉가가 보인다.

주변에 이것이 있으면 흉가가 있다.

* 근처에 폭포수가 있는 집

산 주변의 흉가를 찾을 때 폭포수로 추정되는 곳을 발견했다면 그 인근의 집이 있는지 확인이 중요하다. 집 근처에 폭포수가 있는 집 내부에 흐르는 좋은 기가 흩어지게 되며 뭉쳐있는 좋은 기운이 빨리 빠져나간다. 폭포수에 흐르는 물소리가 들린다면 가족 중 한 명은 갑자기 초상 치루게 되는 불행한 일이 생기는 집이다. 즉 폭포수 인근의 집은 흉가로 남아 있는 집이 있을 확률이 매우 높다.

제4장 풍수지리를 알아야 흉가가 보인다.

주변에 이것이 있으면 흉가가 있다.

* 산맥이 끊어진 위치의 집 (실제 위성 지도)

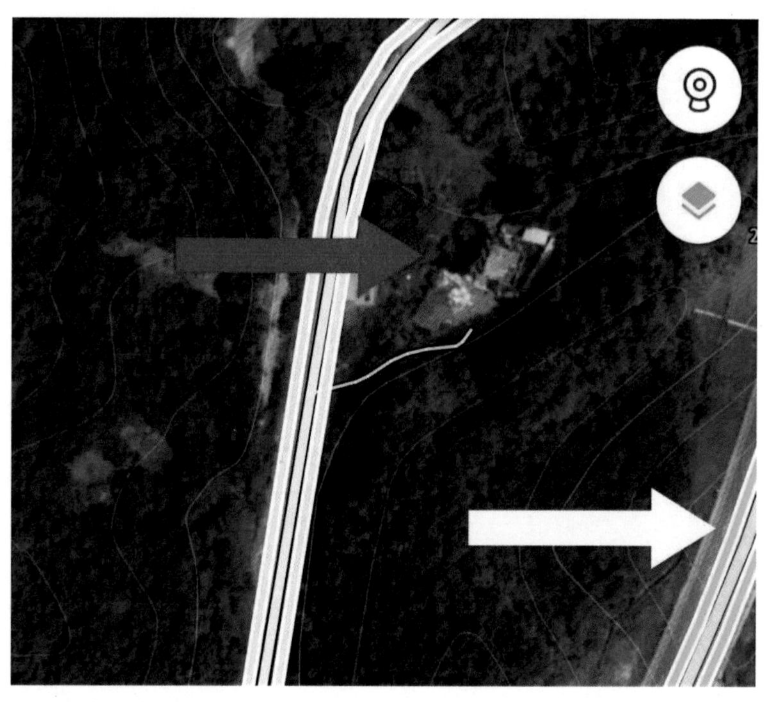

모든 기운이 끊어지는 위치로 가정집으로 주거하면 집안이 몰락하고 장사나 사업을 해도 몰락한다. 위성 지도로 산맥이 끊어지는 지점에 건물이 숨어 있는지 잘 살펴보면 망한 곳이 상당히 많고 찐 흉가를 발견할 수 있다.

제4장 풍수지리를 알아야 흉가가 보인다.

주변에 이것이 있으면 흉가가 있다.

* 산맥이 끊어진 위치의 집 (실제 로드뷰)

위성 지도에 나온 건물을 실제 로드뷰로 보이는 사진이며 이 장소는 사람이 살았던 집이 아닌 영업을 했던 숙박업소이다.
이 사진의 장소는 공포체험 장소로 유명한 곳이며 흉가 체험을 많이 다녔던 독자분들은 아마 여기가 어딘지 알 수 있을 것이며 어디서 많이 보았다는 느낌도 받을 것이다.
흉가 방송인 중 여기 안 가본 사람은 거의 없을 것이고 별의별 소문이 많이 떠돌았던 장소이기도 하며 실제 증명된 사실은 없지만 철거하려고 했는데 계속 이상한 사고가 터져서 중단되었다고 한다.

제4장 풍수지리를 알아야 흉가가 보인다.

주변에 이것이 있으면 흉가가 있다.

* 근처에 사찰이 있는 집

종교시설 가까이 있는 위치는 터의 기운이 강하다.
특히 사찰의 경우가 매우 그런 편이며 도심에 있는 종교시설 옆의 집은 인근에 거주하는 사람이 많기 때문에 강한 터의 기운을 막는 역할을 하지만 민가가 많지 않은 시골이나 산속 인근의 종교시설 가까이 있는 집은 강한 지기의 기운을 강하게 받게 된다. 종교시설의 위치는 검색으로 쉽게 찾을 수 있으며 위성 지도로 종교시설 인근을 잘 살펴보아야 하고 사람이 많이 살지 않을 거 같은 마을이나 산속의 위치를 잘 살펴봐야 한다.

제4장 풍수지리를 알아야 흉가가 보인다.

흉가가 있는 집은 도로(길)와 상관관계가 있다.

*** 도로의 모양만 봐도 흉가를 찾을 수 있다.**

귀성 귀경 차량이 고속도로에 몰리던 명절에는 서울에서 부산까지 기본 10시간이 넘게 걸렸던 시절이 있었지만 지금은 그때보다 자동차가 더 많아졌는데도 5~6시간 정도 소요된다.
어떻게 이것이 가능할까? 인구 밀도에 비해 땅은 좁고 자동차가 급증해 없는 길을 만들고 땅을 파서 도로를 만들고 산을 뚫고 도로를 만들었다.
지금도 마찬가지지만 왠만한 도심의 위치에 사는 사람도 집 바로 앞에 도로가 있는 경우가 많지만. 도로의 모양이 다양하며 도로나 길 모양에 따라 기운 적 영향을 받지만. 건물의 규모에 따라 영향이 다르고 많은 사람이 살고 있는 공동주택이나 단독주택이냐에 따라 영향이 다른 것이다.
일반적으로 집의 옆에 일자로 된 한 면의 도로가 있다면 좋다고 볼 수 있지만 이것 역시 공동주택과 단독주택과 차이가 매우 크며 길이 너무 경사가 심하거나 지대가 너무 낮은 것은 어느 주택이든 좋은 에너지 기운의 흐름을 막아버린다.
막다른 길이나 커브가 있는 지점과 각진 모서리 쪽에 접해 있으면 흉(凶) 하다고 할 수 있다.

제4장 풍수지리를 알아야 흉가가 보인다.

흉가가 있는 집은 도로(길)와 상관관계가 있다.

* 커브길 이나 곡선의 도로

커브 길이나 곡선의 도로 같은 길은 풍수학에서는 활 같은 모양으로 살기를 받는다고 알려져 있다.
거주하는 주택은 정신적인 스트레스를 자주 받는 받으며 영업하는 식당, 카페, 모텔 등은 폐업한 상태로 방치하는 경우가 많다.

흉가가 있는 집은 도로(길)와 상관관계가 있다.

* 곡선 도로가 있는 집의 예 (실제 위성 지도)

제4장 풍수지리를 알아야 흉가가 보인다.

흉가가 있는 집은 도로(길)와 상관관계가 있다.

* 곡선 도로가 있는 집의 예 (실제 로드뷰)

커브 길 지점에 있는 흉가이며 저 사진의 건물은 폐업한 식당이다. 장사만 잘 안될 뿐 아니라 매매도 잘 이루어지지 않는다.
곡선의 도로나 길 모양은 장사가 안되어 망한 업소나 가게가 많으며 많이 알려진 영덕 흉가도 커브길 지점에 있다.

제4장 풍수지리를 알아야 흉가가 보인다.

흉가가 있는 집은 도로(길)와 상관관계가 있다.

* Y자 길 모양 지점의 집

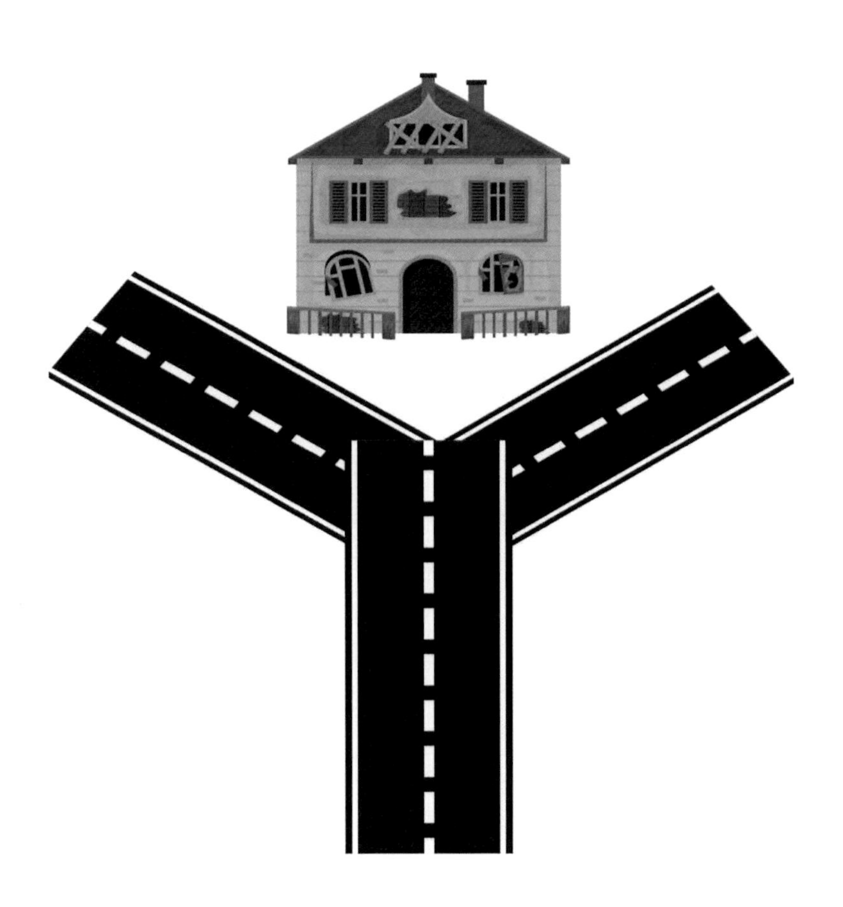

제4장 풍수지리를 알아야 흉가가 보인다.

흉가가 있는 집은 도로(길)와 상관관계가 있다.

* Y자 길 모양 지점 집의 예 (실제 위성 지도)

흉가가 있는 집은 도로(길)와 상관관계가 있다.

* Y자 길 모양 지점 집의 예 (실제 로드뷰)

좋은 에너지의 기운을 받지 못하며 좋은 기를 피해 가는 지형이다. 福이 들어오지 않으며 장사를 하면 손님이 몰리지 않는다.

제4장 풍수지리를 알아야 흉가가 보인다.

흉가가 있는 집은 도로(길)와 상관관계가 있다.

* 양쪽으로 도로가 있는 위치

양쪽으로 도로가 있는 집이며 매우 흉한 터의 위치이다.

차가 지나가는 도로든 사람이 지나가는 길이든 상관없이 무엇을 해도 다 망하게 된다. 가정집은 우환이 자주 일어나며 가족관에 싸움과 갈등이 자주 일어난다. 장사를 하는 가게는 손님이 들어오지 않는다. 무슨 일이 생기면 해결하기 어려운 일만 생기며 고난의 시간을 많이 보낸다. 법적인 소송을 많이 당하고 사기를 당해 재물을 읽을 수 있다.

흉가가 있는 집은 도로(길)와 상관관계가 있다.

* T자 모양의 도로 위치의 집

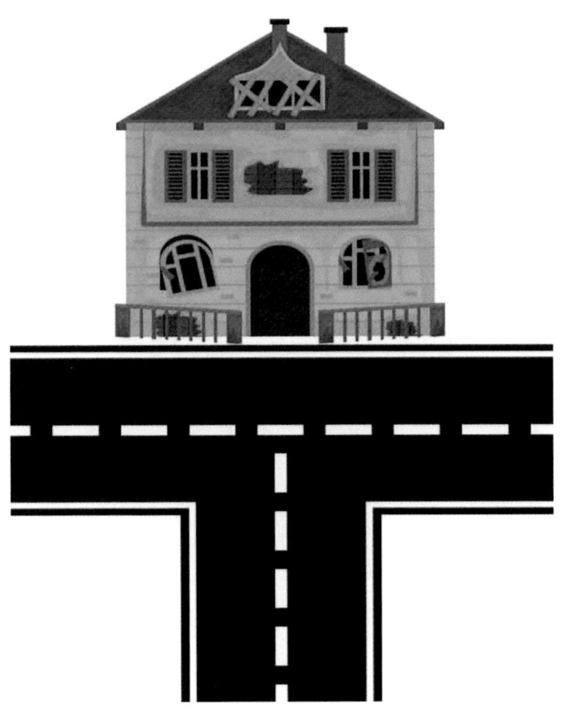

교통상으로 접근이 용이하고 찾기도 쉬워서 좋은 위치라고 생각하지만 생기(生氣)가 흐르지 않고 死의 기운이 더 강한 곳이 도로와 정면으로 만나는 위치이다. Y자 모양의 도로와 비슷하게 福이 들어오지 않으며 좋은 에너지가 모이지 않는다.

제4장 풍수지리를 알아야 흉가가 보인다.

흉가가 있는 집은 도로(길)와 상관관계가 있다.

* 고가 도로와 인접한 집

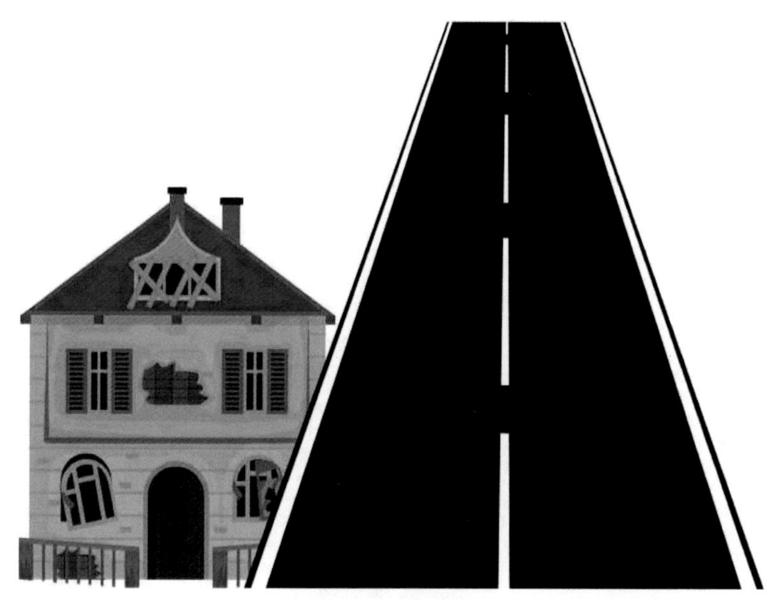

대도시에는 고가 도로와 인접한 위치에 살고 있는 사람이 많다. 고가 도로가 있다고 흉가가 된다면 도시의 3분의 1은 유령 마을이 될 것이다. 대단지 아파트거나 주택가가 밀집된 위치는 큰 영향을 받지 않지만. 민가가 몇 채 없는 마을에는 흉가처럼 방치된 집이 최소 한 채 이상은 발견될 것이다. 고가 도로 밑에 집은 기운이 눌리며 이유 없이 몸이 아프거나 질병으로 고생한다.

흉가와 풍수와의 상관관계.

마지막으로 도로의 모양이나 특징에 따라 흉가를 찾을 확률이 높이는 방법도 있으며 꼭 지도 어플 중심이 아닌 도로의 특성을 파악해 운전하다가 어디론가 걸어가다가 우연히 찾는 경우도 꽤 많을 것이다.
뭐 눈에는 뭐 만 보인다고 폐건물에 관심이 있는 사람은 길 가다가 운전하다가 남들이 잘 못 보는 폐건물을 금방 발견한다.
저자도 처음 방송 시작할 때는 시간과 경비를 투자하면서 여기저기 돌아다니며 무의미하게 흉가를 찾아다녔지만 그렇게 시간이 지나면서 자연스럽게 흉가가 된 집의 풍수적인 특징과 집 내부의 풍수 인테리어도 마찬가지다.
흉가가 있을 가능성이 높은 집의 풍수적인 특징은 이 책의 내용보다 더 다양하고 무궁무진하게 많다.
만약 이 책이 독자분들의 반응이 좋고 책의 내용이 좋다는 이야기를 들으면 당연히 더 자세한 개정판을 출판할 것이다.

제5장 시청자들이 궁금해하는 흉가 방송의 진실

흉가 방송을 좋아하는 시청자들은 흉가 방송이 어떻게 처음부터 진행되는 것인지 궁금할 것이다.
물론 흉가 방송은 진입 장벽이 높은 편에 속하며 특수한 콘텐츠라고 할 수 있고 방송마다 색깔은 조금씩 다르니 준비 과정이나 진행하는 방식은 다른 만큼 이 책의 내용과 조금 다를 수 있다는 점이다.
물론 저자가 알고 있는 한도 내에서 모든 궁금증을 이 책으로 모든 것을 풀어 드리려 할 것이며 만약 내가 궁금한 부분이 이 책의 내용에 없을 수도 있지만 내용에 없는 궁금한 내용은 이 책의 가장 뒷면에 보면 카톡이나 이메일 주소가 있으니 확인 즉시 답변해 드린다.

* 시청자들이 알고 싶어 하는 흉가 방송의 진실 *

1. 방 제목의 사연이나 사건은 사실인가?

답변 : (방제의 예. 살인사건 났던 집. 사람이 자살한 집 등)살인사건이나 사람이 자살했다? 사람이 실종되었다? 그런 비슷한 제목은 사실이 아닐 가능성이 99%이다. 단순히 시청자를 끌기 위한 어그로다.

2. 물건이 움직이는 폴터가이스트 현상은 사실인가?

답변 : 낚시줄을 미리 설치한 주작이다. 물론 미세한 폴터가이스트는 현상은 있지만 대놓고 움직이는 것은 주작이자 설정이다.
이것을 '리얼'이라고 말한다면 그 방송인이 머리가 모자라거나 시청자들을 완전히 무시하는 것이다.

3. 가는 흉가마다 주술적인 흔적이 있다면?

답변 : 간혹 주술적인 흔적이 발견되면 주작이 아니고 그런 장소가 우연히 딱 걸린 것이며 가는 흉가마다 주술적인 흔적이 있다면 주작이다. 위에 글에 낚시줄로 이용한 물건을 움직이게 하는 주작과 결이 다른 주작이다.
낚시줄을 이용한 폴터가이스트 현상은 먹히지 않으니 다른 방식으로 주작 하는 것이다.

4. 흉가 방송은 왜 흉가의 위치를 노출하지 않는가?

답변 : 사실 매우 여러 가지 이유가 복합적으로 있지만 대표적인 이유는 '신고충'이라 불리는 시청자들이 있기 때문이다.
불법적인 점이 있다면 안 하면 되지 않는가? 생각한다.

제5장 시청자들이 궁금해하는 흉가 방송의 진실

세상에 어떠한 사람도 털어서 먼지 안 나오는 사람 없듯이 약점이 노출되거나 밋보이면 세상에 전과자 아닌 사람 없다. 법은 코에 걸면 코걸이다. 정치 뉴스를 보면 사람을 갑자기 조사받게 하거나 감옥 보내는 건 아무것도 아니지 않은가?

5. 흉가 방송인들끼리 흉가 주소를 공유하는가?

답변 : 흉가 방송을 이제 시작하는 사람이 아닌 이상. 최소 3년이 상 꾸준히 방송한 사람들은 100% 공유한 적이 있다.
지금은 흉가 주소 공유 안 하고 스스로 찾아서 방송한다고 말하는 사람도 과거에는 공유한 적이 있었을 것이다.
지금은 서로 사이가 틀어져서 공유 안 할 뿐이다.

6. 흉가는 정말 무서운가 무서운 척을 하는 건가?

답변 : 방송인들 개인마다 차이가 있지만 저자의 입장에서는 장소에 따라 다르며 그날 컨디션에 따라 다르다.
작은 집이라도 깊은 산속에 있거나 이상한 소리가 많이 들린다든지 구조가 복잡한 폐건물은 공포감을 느낀다. 무섭지 않은 곳은 도심의 위치나 큰 대로변 부근의 장소는 크게 무섭지 않으며 무섭다기 보단 불안하다.

7. 흉가든 폐가든 주인의 허락을 받고 방송하는 것인가?

답변 : 대부분의 허락을 받지 않으며 주인과 접촉하기도 힘들다. 저자의 입장에서는 과거에 허락받고 방송한 적이 있었지만. 영상을 업로드 한 후 미신적인 이야기를 했다는 이유로 고소를 당한 적이 있고 지금은 예전하고 다르게 주인과 접촉한다고 해도 흉가 방송의 이미지가 안 좋아서 허락을 안 해주는 사람이 많다.

8. 흉가 방송은 정말 힘든 콘텐츠인가?

시청자 입장에서는 힘들게 보이지 않을 수 있지만 사실 많이 힘든게 사실이며 꼭! 집어서 뭐가 힘들다. 라고 말하기 힘들 정도로 힘든 부분이 많다.
특히 이동 시간이 길어지는 장거리의 경우는 현장에 도착해도 피로함을 느끼고 흉가 진입 전에 말하는 것도 힘들 정도다.

9. 흉가 방송인은 시청자와 사적으로 만나는가?

후원을 많이 해주거나 항상 수고를 해야 하는 매니저 역할을 하는 시청자는 은밀히 만나며 부적절한 관계도 맺는다. 후원을 안 하거나 후원 액수가 소액이면 거의 만나려고 하지 않는다.

예를 들어 영화도 큰 투자를 한 사람은 주연배우를 사적으로 만나는 일이 있다는 이야기를 들어본 적이 있을 것이다. 그것과 비슷하다. 물론 일반 사람들은 모르는 상류층들만의 세계라.

10. 흉가 방송은 왜 후원을 강요하는가?

흉가 방송은 기업의 후원을 받고 하는 방송은 없다.
그래서 시청자의 후원이 나오지 않으면 방송 진행이 어렵기 때문에 최소한의 후원을 강요하는 것이다.
물론 돈을 많이 벌고자 하는 욕심 때문에 큰 액수의 후원을 강요하는 사람도 꽤 많은 편이다.

11. 흉가를 찾는 게 정말 어려운가?

흉가를 찾는 것이 어렵다기 보다는 방송 가능한 흉가를 찾는 것이 어렵다.
방송은 흉가의 진입이 가능해야 하고 데이터 수신이 흘려야 하며 이왕이면 사람들 눈에 띄지 않는 인적이 드문 장소가 적합하며 이런 환경이 받쳐주어야 방송 진행하기가 편하다.

제6장 흉가보다 더 해로운 흉가 방송인들

흉가보다 더 해로운 흉가 방송 시청자들

흉가보다 더 해로운 흉가 방송인의 목차 글을 보면 시청자 입장에서 알기 힘든 방송인만의 음지의 이야기를 풀어내는 것이라는 느낌이 강하다.
그래서 무언가 기대되고 호기심이 발동할 수 있지만 그렇다고 기대가 크면 실망도 크다는 것을 알고 읽어 주셨으면 하는 마음도 있다.
일부러 목차에는 없지만 흉가보다 더 해로운 방송인 이야기를 하기 전에 흉가보다 더 해로운 흉가 시청자의 이야기를 먼저 집필하고자 한다.
목차에도 없는 내용을 이야기한다는 것은 책을 구매한 독자의 입장에서는 낚시질에 당한 것이 아닌가. 하는 불편함도 있을 것이지만 책 뒷면에 흉가 방송 시청자가 읽으면 안 된다는 문구를 넣은 것은 시청자 입장에서는 불편한 내용이 있기 때문이다.
어느 방송이든 누구의 방송이든 흉가 방송을 지금도 시청하고 있거나 과거에 시청한 적이 있는 사람은 다소 불편할 수도 있고 아니면 별 감정 느끼지 못할 수도 있다.
식당을 오랫동안 운영한 사장님이 식당 운영에 대한 썰을 책으로 집필하는데 책의 내용 중 진상 손님의 유형을 집필했다면 진상 행동을 했던 사람만 내용이 불편하다는 점이다.

제6장 흉가보다 더 해로운 흉가 방송인들

그렇지 않은 사람은 불편하지도 않고 기분 나쁠 이유가 없는 것이라는 점. 참고로 읽어 주셨으면 한다.

(*주의*)

흉가 방송 시청자들이 읽기에는 불편한 내용이 있습니다.

주인이나 직원들을 매너 있게 상대하고 조용을 물건을 구매하고 가는 손님을 싫어하는 사람은 없다.
하지만 물건을 팔아 준다고 해서 직원이나 사장님을 기분 나쁘게 대한다든지 갑질을 한다면 진상이라고 할 것이며 영업에 방해까지 한다면 그 사람에게 물건을 팔려고 하지 않을 것이다.

물건도 팔아 주지 않고 갑질이나 영업에 방해까지 한다면 진상이라는 단어도 아까울 것이며 그냥 욕설만 나올 것이다.

방송인도 조용히 후원해 주고 뒤에서 응원해 주는 시청자를 싫어할 일이 없으며 진정 생각 해주는 팬에게는 해당이 되는 내용이 없으니 *주의* 문구처럼 불편할 내용이 없다.
물론 이 책을 온라인 서점을 여기저기 보다가 호기심이나 관심으로 책을 구매한 독자분에게도 해당이 되는 글은 없다.

그러니 저를 모르는 독자분들은 오해 안 하셨으면 한다.

처음에는 시청자도 손님이라고 생각했다.
하지만 손님으로 생각했던 사람들이 점점 방해꾼 어그로 꾼으로만 보이기 시작했고 오프라인에서 한 번도 만나보지 못한 유형들의 사람들을 수없이 많이 겪어왔다.
흉가 방송인도 비록 인터넷 방송이지만 이것 역시 방송하는 입장에서는 직장이자 사업이자 영업하는 것과 똑같은 것이다.
일면식도 없는 사람이 다른 곳에서 험담하거나 사람을 평가하고 추측해서 그것이 사실인 거처럼 떠벌리고 다니는 사람들 내가 생체실험하는 동물 보듯이 음흉하게 관찰하는 사람들 나를 사이비 종교로 끌어들이려는 유형과 야금야금 후원해서 팬인 거처럼 가장해 불법 다단계회사에 가입 시키려는 유형. 선물을 택배 보내준다면서 집 주소와 연락처를 '보이싱피싱'에게 팔아버리는 유형. 이 내용과 같은 비슷한 예로 나를 끌어드려 사기를 치려는 시청자를 차단 시켰는데 그 시청자는 왜 방송에 안 들어오냐고 마치 전쟁 때 헤어진 이산가족 찾듯이 시청자를 찾는 유형. 닉네임을 바꾸어서 들어와 놓고 나 기억 못하냐고 사람 우롱하는 유형. 실제로 후원 한 적이 없으면서 나 얼마 전에 후원했는데 나를 왜 기억 못하냐고 사람을 나쁜 놈으로 만들어 버리는 유형. 제사보다 젯 밥에 관심이 많은 유형.

제6장 흉가보다 더 해로운 흉가 방송인들

방송 진행 중에 정말 위험한 상황이 왔는데 리얼리티 방송이 시나리오대로 흘러가는 영화 보듯 웃어대는 유형. 시청이 아니라 시청자를 친목 모임으로 끌어들이려는 유형. 흉가 방송인을 흉가 관광 가이드로 착각하는 유형. 개인적인 슬픈 개인 가족사를 모든 시청자에게 슬픔을 나누기 위해 분위기를 초상집으로 만드는 유형. 식당에 왔으면 메뉴를 시키던지 메뉴가 맘에 안 들면 나가든지 이것도 저것도 아닌 말 한마디 안 하고 가만히 있는 유형. 온라인이든 오프라인이든 다 이 세상에 일어나는 일이다.
오프라인에는 안 하면 되고 온라인은 이런 행동이 괜찮다고 생각하는 정신이 아픈 사람들. 세상에는 어떠한 직업이든 그 일에 대한 고층이 있고 어떠한 일에든 에로 점이 있다는 것은 당연히 알고 있다.
직업의 특성에 따라 여러 가지 곤욕을 치르게 되어 있는데 지금 이런 글을 쓰는 것은 너무 어린애 같은 하소연이 아니냐고 생각하는 독자들도 있을 것이다.
하지만 흉가 방송은 흉가를 찾고 답사도 해야 하고 잘못하면 법적인 문제가 생기며 가장 중요한 것은 안전이 보장되지 않는 곳을 목숨을 걸고 가야한다.
그러면 흉가 방송 그만두면 되지. 라고 말하는 사람도 있는데 가장 못 배운 티를 내는 유형이다.

그렇다면 가게에서 장사하는 사람이 힘들다고 하소연하면 가게 때려 치우세요. 라는 말을 어디든 당당하게 말하는가? 온라인에서 당당하게 말하면 되고 오프라인에서는 왜 당당하게 말 못하는가? 정치인들 욕을 많이 먹는 고충이 있어도 그에 대한 권력과 명예가 있고 기업가는 나의 판단 하나에 많은 노동자의 생존이 걸려 있는 불안함과 막중한 책임감을 가지고 일 하지만 그 대신에 평생 돈 걱정 없이 살 수 있는 많은 부를 쌓게 된다.
흉가 방송인이 정치인으로 비유하면 욕도 많이 먹고 권력도 없고 돈도 못 벌고 잘못된 정치적 판단으로 한순간에 모든 것을 잃을 수 있는데도 국민을 위해 일은 해야 한다면 누가 선거 운동 기간에 시민들에게 고개 숙이며 표를 달라는 미친 짓을 하겠는가? 물론 이것을 정치인과 비교하면 안 되지만 쉽게 이해하기 위해 예를 든 것이며 나는 흉가 방송하는 모든 사람들에 아무런 득이 없는 활동을 하고 있는데 이 정도 글을 너무 부정적으로 생각하지 말고 그냥 하소연 정도 했다. 라고 생각해 주셨으면 한다.

제6장 흉가보다 더 해로운 흉가 방송인들

저자가 직접 경험한 방송인 본 내용을 읽기 전에

이 책을 출판한 2024년을 기준으로 보았을 때 약 9년 차로 들었으며 지금까지 많은 흉가 방송인을 온 오프라인으로 만나고 접촉해 왔다.
과거 흉가 주소를 공유하고 계산적으로 따지자면 내가 더 많은 흉가를 찾아서 주어도 지금은 단물을 다 빼먹었다고 생각하는지 유튜브 구독자가 많은 소위 잘나가는 방송인이라 난 너랑은 이제 급이 달라 연락을 끊어버리는 사람도 있고 나에게 섭섭한 것이 있는지 흉가 콘텐츠의 약점을 이용해 법적 처벌을 받게끔 뒤통수를 치는 방송인도 있었으며 더 황당한 것은 일면식도 없는 사람이 나에 대한 험담이나 비난하는 방송인도 있었다.
방송 시작과 동시에 내 험담의 시작으로 방송 종료 될 때 까지였으며 그 후에 그 방송인이 나의 유튜브 채널에 나온 개인 카톡으로 연락해 한번 만나 뵙고 싶습니다. 우리 식사 한번 할까요? 라고 한다면 여러분은 어떻게 받아들이겠는가?
지금까지 방송하면서 간접적으로 연락하는 사람도 있었고 오프라인에서 몇 번의 만남을 가진 사람도 있었지만 물론 단 한번의 인연도 없었던 방송인도 많이 있다.
직접이든 간접이든 지금까지 많은 흉가 체험을 하는 방송인 중 좋은 기억에 남는 사람은 한 명도 없다.

물론 이 책의 저자인 나 역시도 이런 내용을 집필할 정도로 떳떳한 사람이 아닌 것도 인정한다.
나에 대해서도 좋지 않게 기억하는 사람도 많을 것이며 비판과 비난적인 소리도 감당할 각오로 집필하는 이유도 있다.
흉가 방송인들은 대부분 고생을 많이 하는 것은 인정하며 역시 저자도 그렇지만 같이 고생하는 사람들끼리 무슨 자극적인 말을 하고 시끄럽게 만들려나 생각할 수 있다.

본 내용은 타인을 험담하는 것이 아니다.

사람은 같은 내용을 이해해도 느끼는 차이는 다르다.
험담이나 비판 비난의 목적이 아니라고 해도 험담이 맞는데? 생각하는 독자들도 많을 것이다.
물론 그렇게 생각한다면 이 글을 쓴 저자는 할 말이 없지만 이 부분은 흉가 방송 시청자들이 궁금해하는 내용들이 있다.
영화를 만들어 흥행하려면 좋은 영화를 만들지 말고 사람들이 많이 볼만한 영화를 만들어야 영화가 성공하고 돈을 버는 게 현실이다.
좋은 영화를 만들면 작품상을 받을 수 있겠지만 상을 몇 개 받는다고 이익이 남지 않으며 많은 사람들이 보게끔 하는 작품성보다 대중성과 자극적인 것이 더 우선이고 현실이다.

제6장 흉가보다 더 해로운 흉가 방송인들

독립영화나 단편 영화가 아닌 이상은 좋은 작품성 있는 영화 만들고 칭찬만 받자고 영화를 만드는 감독은 없다.
영화도 돈 벌려고 만드는 것이고 이 책을 쓰는 저자도 돈을 벌려고 없는 시간 만들어서 책을 쓰는 것이며 그렇다면 흉가보다 더 추악하다는 흉가 방송인들은 어떤 사람일까?
저자가 직접적으로 언급하고 그 방송인의 특징은 말해주지 않으며 아쉽게 들리겠지만 독자분이 추측해야 하며 추측하기가 힘들다면 그냥 그런 사람도 인구나 정도로 생각해야 한다.
그렇다고 없었던 일을 소설처럼 만들어 낸 이야기는 없으며 100% 거짓이 없는 진실이라는 점이다.

힘들게 찾은 흉가 주소만 얻으려는 추악한 인간들

흉가 방송인끼리 연락하고 만나는 것의 목적은 흉가 주소를 알아내기 위한 목적이지 다른 이유는 전혀 없다.
이런 사람들은 과거에 흉가 방송을 했던 사람이나 지금도 방송하는 사람 중에서 일부 이런 유형의 사람이 있었고 지금도 있다.
그럼 어떤 흉가 방송인이 공짜로 흉가 주소만 얻으려는 사람들인가? 흉가 방송을 보시는 독자분들도 늘 보던 흉가 방송이 있을 것이다.

제6장 흉가보다 더 해로운 흉가 방송인들

시청자분이 입장에서 내가 즐겨 보는 방송이 휴방하거나 아니면 타 방송이랑 시간이 겹치지 않거나 방송 시청 중에 여유 시간이 된다면 타 방송과 여기저기 다니며 방송을 시청한다.
내가 만약 특정 흉가 방송의 주 시청자는 아니지만 한번 정도 잠깐 눈팅 하면 흉가 안에 물건도 많고 내부도 을씨년스럽고 방 제목에는 마치 이 흉가에 대해 알고 있다는 듯이 방제(방송 제목) 넣는 흉가 방송은 어디서 흉가 주소를 공짜로 얻는 것이다.
물론 정당하지 않게 말 이다.

예) 흉가를 누군가에게 공짜로 얻는 방송인들의 방 제목

1. 사람이 사망한 흉가
2. 폴리스라인이 있는 살인사건 흉가
3. 집주인이 자살한 흉가
4. 무당이 굿을 하다 사망한 흉가
5. 무당이 살 맞은 흉가
6. 실종사건? 사람이 갑자기 사라진 흉가

자극적인 방제만 정해도 시청자의 호기심을 자극한다.
흉가 방송인이 소통 시간 중. 오늘 갈 흉가의 소개나 사연 정도는 말할 것이다.

제6장 흉가보다 더 해로운 흉가 방송인들

그 흉가 방송인이 하는 말을 잘 들어보면 된다.

흉가 방송인 : 오늘 가는 이 흉가는 처음 가는 장소입니다. 이러이러한 사연과 사건이 있다고 합니다. 흉가 방송 정말 힘들게 찾아서 진행하는 겁니다? 힘들게 찾아서 처음 가는 것인데 그 흉가의 사연이나 사건을 알고 있다고? 이러한 유형은 간단하게 판단하면 된다.
예로 방제에 공포 흉가...XXX 정확히 어디 간다는 글도 없고 애매하다면 스스로 찾아서 모험 정신으로 탐험한다는 마음으로 방송하러 가는 것이고 처음 가는 흉가인데 00사건. 00사연. 그 흉가에 대해 알고 있다는 식으로 방 제목을 적는다면 어디선가 주소를 공짜로 얻은 것이며 그 방 제목이 사실이 아닌 소위 어그로 끌기 위한 목적일 수도 있으며 무덤 근처의 흉가, 대나무가 많은 흉가 등은 답사할 때 확인 가능하기 때문에 그런 방 제목으로 방송하는 방송인은 정직하게 흉가 찾아서 방송하는 것이다. 흉가의 외부나 내부만 보아도 오래된 물건이나 집기 용품이 많이 방치되어 있고 곰팡이 많고 벽지가 뜯어져 있고 유리창까지 깨져 있는 소위 방송인과 시청들이 이야기하는 지리는 장소만 간다면 그 방송인은 누군가에게 졸라서 흉가 주소를 공짜로 얻는 방송인이다. 그것도 아주 추악하게 말이다.

그 방송을 보고 이 방송을 위해 흉가를 찾는다고 고생했고 힘들게 준비한 흉가 방송입니다. 라고 이야기 하는 것들을 보면 어이없는 웃음만 나오며 나 요즘 시청자 200명 찍어요. 300명 찍어요. 라고 자랑하듯 이야기한다.
을씨년스럽고 지리는 장소만 골라서 방송 꾸준히 하면 방송 감이 없는 아무나 방송해도 시청자 많이 나오게 되어 있는데 본인이 잘나서 시청자가 잘 나오는 걸로 착각한다.

밥을 차려주고 숟가락으로 떠먹어줘야 밥을 쳐먹을 줄 아는 방송인들.

흉가 주소를 알려주어도 찾지 못하면 누가 그걸 어떻게 감당해야 할까? 밥상을 차려줘도 혼자 스스로 먹지 못하는 방송인이 흉가 방송한다면 그걸 누가 믿을까? 그것은 주소를 알려준 사람이 의무도 아닌 일을 소득 없이 다 책임지라는 뜻이다.
흉가 주소를 찾아서 일일이 다 설명한다면 그 일은 내 업이기 때문에 그에 대한 소득이 있다면 의무와 책임을 져야 하지만 저자는 아주 불공정한 거래를 하면서 모든 걸 감당하고 있다.

타 흉가 방송인 : 흉가에 왔는데 어떻게 들어가는 거에요?

제6장 흉가보다 더 해로운 흉가 방송인들

나 : 문을 열어 보세요.

타 흉가 방송인 : 네..

위 대화의 예는 아주 간단한 것이며 매우 세심한 대화까지 글로 적으면 글을 읽는 독자는 헛웃음이 나오거나 아 그렇구나! 하며 끝나겠지만 실제로 겪은 경험이 있는 저자는 다시 그 기억을 떠올리며 글을 써야 하기에 혹시나 이 책의 집필 중에 뒷 목 잡고 혈압으로 쓰러질지 몰라서 간단한 대화의 예를 적는 것이니 독자분 들은 세심하게 대화 내용을 못 적는 것을 이해해 주기를 바란다.

한마디로 삼류 코미디 시트콤에도 나오지 않을 만한 대사가 흉가 방송인들 사이에서 일어나고 있다.

흉가 주소를 알려주어도 스스로 못하는 사람이 있다면 상상이나 할 수 있겠는가? 네비게이션이 없는 것도 아니고 영어 알파벳도 읽을 줄 모르는 사람이 나 영어 강사 해서 돈 벌거야! 그러니 니가 내 옆에 와서 영어 가르키는 법 하나하나 다 설명해. 강의했던 노고의 수고료는 내가 다 챙겨 갈게! 상상이 가지 않는 사람들이 흉가 방송계는 존재한다.

앞서 말한 내용이지만 저자인 본인도 타 흉가 방송인과 주소를 공유한 적이 있다.

물론 공유를 받아서 저자인 본인도 편하게 방송인 한 적이 있어이 부분을 좋지 않게 언급하면 저자의 무덤을 파는 행동. 즉 자기 얼굴에 침 뱉기. 라고 생각할 수 있다.
꼭 방송뿐 아니라 어느 직종에서든 서로에게 정보를 공유하며 그런 정보의 공유하는 것도 적절하게 끊어야 하는 선이 있다.
프로 야구선수를 예로 든다면 선수들끼리 서로 자주 연락하고 사적으로 만나는 친한 사람도 있을 것이다.
한 선수는 안타를 많이 치는 잘나가는 선수고 한 선수는 슬럼프로 인해 후보로 강등된 선수가 서로 친하다고 가정하면 안타를 잘 치는 선수가 슬럼프를 겪는 선수에게 상대 투수에 대한 정보나 안타를 잘 치는 요령이나 노하우 정도는 알려줄 수 있다.
정보를 얻은 선수는 본인도 안타를 잘 치기 위한 노력은 본인의 해야 할 역할이다.
타석에 들어서 상대해야 할 투수의 정보를 알려주었는데 스스로 안타를 쳐야 하는 것은 본인이 해야 하는데 그것까지 대신해달라는 사람이 있다.

너 가 대신 타석에 들어서 안타 좀 쳐주라! 그 안타의 기록은 내가 가져갈게.

제6장 흉가보다 더 해로운 흉가 방송인들

삼류 코미디영화에도 유치해서 나오지 않을 법한 말도 안 되는 상황이. 흉가 방송계는 지금도 이런 일이 일어나고 있다.

안에 물건도 많고 분위기가 처참하고 사연 있는 흉가가 있나요?

흉가 주소를 공유하는데 타인은 저자에게 인터넷에 주소가 노출된 아무나 다 알 수 있는 흉가 주소를 알려주고 시청자 반응도 거의 없는 사연도 없을 만한 텅 빈 건물을 알려주면서 그 타인은 안에 물건도 많고 분위기도 처참하고 을씨년스럽고 이왕이면 사연 있는 흉가를 저자에게 알려달라고 한다.
나는 500원을 줄게요. 님은 저에게 5만원 주세요. 이런 날강도 같은 심보를 가진 흉가 방송인이다.

나에게 전화만 하면 흉가 주소가 저절로 나오는 줄 아는 흉가 방송인들.

AM 07 : 00 시경

타 흉가 방송인 : 안녕하세요. 양산의영웅님 제가 지금 서울에서 전북 전주로 가야 하는데. 가는 길에 할만한 흉가가 있나요?
이왕이면 내부에 물건도 많고 규모도 크고 사람 죽은 장소로요.

나 : 제가 그 방향은 잘 가지 않아서요.
알고 있는 흉가가 있기는 한데 물건이 많은 곳은 가정집이라 장소가 작고 사람 죽은 집은.. 잘..

타 흉가 방송인 : 혹시 몇시 쯤 일어나세요?

나 : 늦은 오후 5시 쯤 일어날거 같네요.

타 흉가 방송인 : 그 시간에 전화 드릴께요.

나 : 네?

타 흉가 방송인 : 뚜뚜뚜..

PM 05 : 00 정도

타 흉가 방송인 : 안녕하세요. 제가 서울에서 전북 군산 방향으로 가는데 사람도 죽고 내부에 물건도 많은 흉가 있나요?

나 : 네? 아침에 말씀드렸잖아요.

타 흉가 방송인 : 아 그래요.

내가 무슨 잘못이라도 저지르듯 상대의 목소리 톤이 달라진다.

제6장 흉가보다 더 해로운 흉가 방송인들

본인 집이랑 가까워야 하고 물건도 많아야 하고 유리창도 깨져야 하고 신고를 당했을 때 문제도 없어야 하고 곰팡이도 많아야 하고 사람도 죽은 집이어야 하고 이왕이면 불탄 흔적도 있어야 하고 근처 주차하기도 좋아야 하고 문이 활짝 열려 있어야 하고 분위기도 아주 처참해야 하는 흉가 어디 없을까요?

타 흉가 방송인 : 여보세요! 어디에서 어디까지 가야하는데 가는 길에 방송할 만한 흉가 없을까요?

나 : 글쎄요.. 00 지역에 뭐가 있긴 했어요.

타 흉가 방송인 : 물건이 많나요? 방송 분량은 얼마나 나오죠?

나 : 글쎄요.. 작은 가정집이라..

타 흉가 방송인 : 폐모텔은 없나요? 사람 죽은 곳은 없나요?

난 지금도 가급적 전화를 피한다.
부재중 전화가 와도 굳이 전화하지 않는다.
나를 본인 입맛에 맞는 흉가를 찾아주는 기계로 취급하기에..

제7장 흉가 방송인으로 산다는 것

이 책의 모든 내용을 마지막으로

지금 있는지 없는지도 모르는 흉가를 찾기 위해 적게는 1시간 많게는 2~3시간 운전하며 막상 도착했는데 흉가가 없으면 어떻게 하지? 항상 불안한 마음으로 달리며 달렸던 시간이 참 많이도 갔다.
자주 하는 장거리 운전과 매일매일 내일은 어디로 가야 하나. 항상 고민해야 하고 장소를 결정하면 그 흉가가 막상 가면 어쩌지? 하는 불안감 속에 항상 극한의 피로를 이겨내며 달리고 달린 시간. 아무도 알아주지 않고 오히려 욕만 먹고 약점을 이용해 보복하려는 사람들과 기 싸움까지 하며 흉가 콘텐츠를 하는데 시간이 참 많이도 갔다.

흉가 방송을 하면 예나 지금이나 불안한 것이 참 많다.
안전이 보장되지 않는 곳에 들어가서 잘못되면 어떻하지? 오늘도 적자보고 집에 돌아오면 어떻하지? 이런 걱정 저런 걱정 이런 불안 저런 불안 누군가가 강제로 시켜서가 아닌 스스로 선택한 것인데 이런 이야기를 꺼내는 것도 참 우습긴 하다.
어느 직업이든 겪는 고충이지만 다른 어렵고 힘든 것보다 흉가 방송을 보는 시청자들의 마음이 참 궁금하다.
사람마다 다르긴 하지만 나는 아직도 이것이 가장 어렵다.

제7장 흉가 방송인으로 산다는 것

오늘도 우리 가게에 들어오면 뭘 살 건지 아니면 무슨 얘기를 하고 싶어서 찾은 건지 마음에 안들면 나가면 되는 것인데 나가지도 않고 이것도 아니고 저것도 아닌 묵묵하게 말 한마디도 안 하는 사람들을 데려다가 내가 뭘 어떻게 해야 하나. 흔들리는 멘탈을 어떻게 잡아야 하나? 그런 생각을 늘 하면서 무사히 마치면 아 오늘도 내가 살아 있구나. 하는 안도의 한숨을 쉰다.

그렇게 반복적인 걱정과 안도를 반복하면서 많은 시간이 흘렀다.

흉가 방송하면서 후회 한 적이 있는지 궁금해한다.

후회 한 적이 없다고 말하면 거짓말이며 후회 많이 했었다.

내가 누구를 위해서 내가 이렇게 고생하고 위험을 감수해야 하나 회의감이 들 정도였다.

저자가 쓴 책 중에 '당신의 꿈이 꿈해몽과 맞지 않는 이유'라는 책이있다.

그 책 내용 중 꼭 삼류 판타지 소설처럼 애매하게 쓴 내용의 일부분인데 간단히 말하면 내가 무당이 되어야 할 운명이다.

그 운명을 받아들이지 못하면 죽음 뿐 이었다.

그런데 꿈으로 통해 바꿀 수 없다고 예상한 운명을 바꿀 수 있다고 미리 예지를 해주는 것이 '꿈의 해석'이라는 것이 꿈 해몽과 관련된 책인 것만큼 영화 인트로처럼 소개되어 있다.

흉가 방송인으로 산다는 것. 목차의 내용인데 이야기의 핵심도 없고 스토리도 없지만 내가 많이 배운 것도 많다.

제7장 흉가 방송인으로 산다는 것

내가 만약에 평범한 직장으로 계속 살아왔다면 절대 만날 일이 없는 다양한 사람들을 알고 지내 왔으며 그런 점에서 내가 오히려 많이 배운 거 같다.
물론 도움을 준 좋은 사람도 있었고 좋은 사람인 척 연기하는 사기꾼도 있었다.
좋은 사람인 척하는 사기꾼 하면 그냥 나쁜 놈이네. 하며 생각하지만 그런 사람이 있었기에 내가 사람을 더 정확하게 판단하는 능력을 키워준 고마운 사람이라 생각한다.

언제까지 방송할 것인지 궁금한 사람도 많을 것이다.

사실 이 답변은 어떻게 해야 하는지 모르겠다. 언제까지 해야 하는지 지금도 판단이 서지 않는다.
흉가 방송이 어렵고 힘들고 어떨 때는 금전적으로 항상 적자보고 하는데도 방송에 대한 재미있는 부분이 있고 중독성 있는 부분도 있으니 지금까지 버티고 버티며 하는 것이 아닐까? 생각이 들며 처음 흉가 방송을 했을 때 공포 관련 영화를 만들 생각을 했었던 적이 있었다. 물론 흉가에 관련된 소재이다.
방송하기 전에 흉가 동호회에서 활동했는데 활동 멤버 중 공포 영화 감독이 꿈인 사람이 있었다. 이야기를 들어보니 나도 욕심이 나는 것이었다.

제7장 흉가 방송인으로 산다는 것

공포 영화 감독이 되겠다는 그 사람은 지금 무엇을 하며 사는지 모르지만 내가 흉가 관련된 공포 영화를 만들려면 남들보다 흉가를 더 많이 다녀봐야 하지 않겠느냐 생각으로 방송을 시작한 게 그러한 이유가 있지 않나 생각이 든다.

그래서 처음 흉가 방송을 시작할 때는 방송이 잘 되어야겠다는 생각은 전혀 없었다.

전혀 없었기에 정말 생각대로 방송이 잘되지 않았다.

하지만 사람의 '꿈'이라는 건 현실에 벽이 부디 치고 시간이 지나면 그 꿈이 현실적으로 변하지 않는가? 어릴 때 꿈이 대통령이면 성인이 되고 현실의 벽이 부디 치면 나의 꿈은 9급 공무원으로 바뀌듯이 말이다.

저자는 영화를 만들 꿈에서 지금까지 전국을 돌며 흉가를 찾아다니며 흉가가 되는 집의 외부와 내부의 풍수적인 연구와 자연적인 특징을 계속 공부하고 관찰할 것이며 그 연구한 결과물을 많은 사람에게 알리고자 하는 목표가 있다.

조선시대 때 전국 팔도를 돌며 번영하는 집과 몰락하는 집의 풍수적인 특징을 연구한 이중환 선생님처럼 말이다.

마지막으로 이 책을 읽어 주신 독자분에게 감사드리며 책의 반응이 좋을 시에는 개정판을 출판할 예정이다.

- END -

-흉가는 어떻게 찾는 것일까?-

발 행 : 2024-02-05
저 자 : 양산의영웅
펴낸곳: 부크크
가 격 : 16,900원

책의 내용에 대한 문의는 반드시 답변해 드립니다.
카 톡: caa2020
메 일: caa2020@hanmail.net

ogian) 토마스 베리의 저서 『위대한 과업』 『지구
주이야기』를 편집했던 것이 이 소설에 영향을
했다. 한가지 덧붙이자면 이 소설은 아마존에
후 소설(cli-fi, climate fiction) 분야의 스토리들
한 것이 아님을 말해두고 싶다. 지진 상황에 대
인 지식이나 생존법도 등장하지 않는다.

되면 나는 휴대폰 앱 '미세먼지코리아'를 열고
초미세먼지, 오존, 일산화탄소, 이산화질소, 아
농도를 확인한 뒤 하루를 시작한다. 맑은 하늘
공기를 갖고 싶다는 게 욕심일까. 어쨌든 나는
정도의 소설을 쓰느라 주변의 고통을 몰랐다. 미
미안하다.

2020년 2월

강영숙

지 않았다. 베이징만 그럴까. 서울도 다르지 않다. 어쩌면 우리는 가까운 미래에 반도체와 BTS를 수출한 돈으로 해외에서 맑은 공기를 수입해 들여와야 할지도 모른다. 베이징에 63빌딩 세개 크기만한 공기정화장치가 있다는 말도 들었는데, 우리도 곧 그런 걸 만들어야 하지 않을까.

미세먼지나 황사, 바이러스 같은 물질성의 요소에 의해 우리 삶이 교란되고 있다는 걸, 2020년 2월 신종 코로나 바이러스가 국경을 넘어 다른 나라로, 다른 대륙으로 침투하는 이 시점에서 강조할 필요가 있을까. 인간도 냉혹한 자연 세계의 일부이고 자연의 우발적인 공격에 노출되어 있는 우주의 아주 작은 물질에 불과하다는 건 분명하다. 인간과 자연 사이의 갈등은 늘 있어왔지만 이제 정말 본격적으로 시작됐다는 느낌이 드는 건 나만의 감각일까. 미세먼지나 황사보다 눈에 보이는 피해가 더 큰 지진 등의 자연재해는 말할 것도 없을 것이다.

2011년 동일본 대지진이 난 해에 제작된 루시 워커의

다큐멘터리 〈쓰나미 벚꽃 그리고 희망〉에 나오는 지진 피해자들은 이상하리만치 벚꽃의 아름다움에 대해서만 계속 말했다. 또 텔레비전에서 본, 지진 해일에 휩쓸려가지 않고 겨우 살아남은 나이 든 할머니는 자기가 누구인지를 설명하느라 허둥대고 있었다. 이름은 무엇이고 나이는 몇 살인지, 집은 어디고 누구랑 살았는지, 평소라면 말할 필요조차 없는 것들을 말하느라 애를 쓰는 장면이 인상적이었다. 경북 포항의 비좁은 텐트에서 지냈던 이재민들은 길고 긴 밤을 어떻게 보냈을까. 불안과 공포 말고 다른 감정은 가질 수 없는 이재민들은 부서진 일상을 어떻게 되돌릴 수 있을까. 이런 일을 당한 사람들은 무슨 말을 하고 싶을까. 그런데 내가 그런 일을 당한 사람들에 대해서 쓸 수 있는 사람인가. 나는 쓸 수 없다. 하지만 재해로 인해 타인에게 자기 자신과 자신의 정체성을 설명해야 하는 사람들의 목소리가, 이야기가 궁금했다. 그러니까 이 모든 상황은 느슨한 허구이고, 그러므로 이 이야기는 실제의 재해와는 다른 하나의 은유에 불과하다.

재해란 무엇인가. 어린
픈 걸까. 재해 상황에서
가 과연 기회가 될 수 있을
수 없는 것은 아닐까. 재해
있을까. 뜻밖에 일어난 재
순간에 적나라하게 드러나
더 어려운 쪽의 몫이었다.
전부터도, 지금도, 평생 동
에서나 저쪽에서나 모두들
그림자 같은 착한 사람들
구라는 허구적 공간 안에서
다녀보고 싶었을 뿐이다.
일도 일어나지 않기를 바란

나는 한 직장을 오랫동안
집 작업을 했는데, 그중 미

학자(geo
의 꿈』『
미치기도
등재된
처럼 대
한 전문

아침
미세먼지
황산가스
과 깨끗
겨우 이
안하고

| 참고 자료 |

- 에드워드 렐프 『장소와 장소상실』, 김덕현·김현주·심승희 옮김, 논형 2005.
- 헨리 데이비드 소로 『월든』.
- '존엄 유지 키트'의 내용은 『우리들의 목소리 1-아시아 페미니즘과 여성 운동의 현장』(이화여자대학교 아시아여성학센터 기획, 장필화·이명선 엮음, 이화여자대학교 출판부 2015)에서 가져왔다.
- 트럭을 몰고 폐기물 버리러 다니는 '직업'은 윌리엄 프리드킨의 영화 〈소서러〉(Sorcerer, 1977)에서 영감을 얻었다.

부림지구 벙커X

초판 1쇄 발행/2020년 2월 28일

지은이/강영숙
펴낸이/강일우
책임편집/이선엽 김필균
조판/한향림
펴낸곳/(주)창비
등록/1986년 8월 5일 제85호
주소/10881 경기도 파주시 회동길 184
전화/031-955-3333
팩시밀리/영업 031-955-3399 편집 031-955-3400
홈페이지/www.changbi.com
전자우편/lit@changbi.com

ⓒ 강영숙 2020
ISBN 978-89-364-3438-0 03810

* 이 책은 서울문화재단 '2019년 창작집 발간 지원사업'의
  지원을 받아 발간되었습니다.
* 이 책 내용의 전부 또는 일부를 재사용하려면
  반드시 저작권자와 창비 양측의 동의를 받아야 합니다.
* 책값은 뒤표지에 표시되어 있습니다.